D1240021

SENEGAL

CHRISTIAN SAGLIO

Au grand vent de Dakar

Des vents et des hommes

Il faudrait arriver au Sénégal par la chaussée des Almadies, cet extrême ouest de l'Ancien Monde, et y faire naufrage un jour de grand alizé.

Chaque pays, chaque peuple a ses vents : les lourdes bourrasques sur les marées basses de Bretagne, le « vieux vent vert-galant » de García Lorca qui pourchassait la Belle Preciosa, le vent noir de Pouchkine, le vent fou et obsédant de Nouvelle-Zélande dont la présence domine tout, celui du Sahara « qui n'a pas d'odeur », comme l'écrivait Lawrence, et nos innombrables petits vents régionaux qui sont souvent le souffle et l'âme d'un terroir.

L'alizé du Sénégal est le vent du soleil et la fantaisie... Ce vent qui balaie Dakar pendant huit mois de l'année, se parfumant au gré des heures et des quartiers de l'odeur de la mer, de la cacahuète ou du poisson séché, gonflant les grands boubous des femmes, soulevant le sable des trottoirs et animant la ville de toutes ses rumeurs dès la tombée de la nuit.

On attend l'alizé à partir de novembre comme pour respirer un peu et sortir de l' « hivernage » : prétendue mauvaise saison (15 juillet-15 novembre) qui fait fuir les Européens (*Tubab*), promène les hommes d'affaires sénégalais aux quatre coins du monde tempéré et représente, par ses pluies (hélas de plus en plus rares) et ses tornades, tout l'espoir du paysan. De novembre à juillet, c'est l'« éternel printemps » pour une mince frange côtière... Ciel bleu, vent frais. Difficile de ne pas tomber dans les descriptions idylliques des agences de voyage.

P. 2 de couv. : Dessin d'Amadou Ba. P. 2-3 : Fillettes de l'École nationale de l'ordre du Lion (Légion d'honneur sénégalaise). Ci-contre : A l'île de Gorée.

Nit nitey garab am, dit le proverbe wolof, « l'homme est le remède de l'homme ». Une devise qui, beaucoup plus que l'officiel « Un peuple, un but, une foi », devrait être l'emblème du Sénégal d'hier et de demain. Dakar, presqu'île cosmopolite au grand vent des idées et des influences. Si la traditionnelle *teranga* (hospitalité) demeure une réalité bien sécurisante, et si quelques buildings ou villas des beaux quartiers font dire parfois que « Dakar, ce n'est pas l'Afrique », la première impression reste celle d'une ville à la fois familière et insaisissable. Une ville blanche sous le soleil comme n'importe où sous les tropiques. Des corniches en bord de mer, des hôtels, des bars, des restaurants, des cinémas et même une place de l'Indépendance « à la française », avec bassin, monument aux morts, bancs publics, allées sages et arbustes administratifs, des avenues Jean-Jaurès, Pasteur, Gambetta ou Georges-Pompidou, des rues Félix-Faure, Jules-Ferry, Adolphe-Thiers, Carnot, Colbert ou Victor-Hugo et quelques statues de Faidherbe trônant au milieu des squares semblent toujours affirmer « le droit des races supérieures à civiliser les races inférieures ». On peut parcourir le centre de Dakar en égrenant le chapelet tricolore de nos gloires républicaines. Place Tascher, devant l'Assemblée nationale sénégalaise, se dresse comme une hallucination l'étonnante sculpture érigée en souvenir de l'Armée noire. Surnommée « Demba et Dupont », elle représente un tirailleur sénégalais et un soldat français enlacés pour la défense de la patrie en danger. Il y a aussi 20 000 *Tubab* vaquant à leurs affaires et à leurs loisirs comme dans n'importe quelle ville de la province française, et, pêle-mêle, des encombrements, des clubs de Corses et de Bretons, une cathédrale de style néo-soudano-byzantin, des plages à parasols, une gare arts-déco, des discours, le théâtre national Daniel-Sorano, un président de la République agrégé de grammaire française et des étudiants contestataires.

Similitude de façade... Ici plus qu'ailleurs, il faut traverser le miroir et choir dans l'univers des couleurs, des bruits, des rires, et dans ce climat personnel qui reflète l'identité d'un peuple. Il faut flâner derrière le décor européen, à travers les dédales de la Médina, des marchés ou des quartiers périphériques. Au Sénégal, il suffit que les regards de deux inconnus se croisent pour qu'affleurent sourires et salutations. Il faut aborder par le cœur ce pays si affectif et approximatif où l'on vous donne l'heure à la minute près : 17 h 34. Se laisser entraîner par l'indicatif de Radio-Sénégal, air de *kora* (sorte de mandoline) qui se déroule comme une invitation à se perdre dans la foule. Ni Acropole, ni pyramides, ni même quelques « pierres » pour puzzle historique à reconstituer en pointillé, le *Guide bleu* sous les yeux. Rien, sinon le spectacle de la vie.

La Médina, « ville indigène » coloniale, s'est créée à la suite de l'épidémie de peste, en 1914. L'idée de base était de fabriquer une véritable ville autonome dotée de services publics et administratifs distincts : poste, institut d'hygiène, commissariat, écoles, etc. Une sorte de Réserve proprement aménagée à l'orée des bureaux, des villas et des usines avec l'efficacité du paternalisme belge sur les rives du Congo. Mais la Médina explose très vite hors de son étroit plan en damier pour envahir les quartiers de Gueule-Tapée, Fass, Colobane et Gibraltar. Le noyau primitif lui-même, où s'étaient réfugiés les anciens villages lébous, voit ses « maisons en dur » étrangement ramifiées de multiples appendices et dépendances, baraques de planches et de boîtes de conserve martelées à la gloire de la tomate ou du Coca-Cola... Un paysage humain plus étonnant que l'ultime village paléo-négritique des contreforts du Fouta-Djalon.

L'aventure est au coin de chacune des petites rues défoncées, à travers cette merveilleuse pagaille qui donne vie aux trottoirs de sable : coiffeurs de plein air avec leurs enseignes *Chez Tif et Tondu* ou *Black is beautiful* et leur choix de coupes à la légère, demi-rase ou à la Marlon ; échoppes de cordonniers, tailleurs, réparateurs de machines à coudre, fixateurs de dents en or, menuisiers et matelassiers, grands spécialistes de la « démerde » et magiciens de la récupération, entre les mains desquels les vieux pneus se métamorphosent en sandales, les bouts de chiffons en patchwork de haute couture et les boîtes de bière en attaché-case ; carcasses de cars-rapides échouées dans l'attente d'un petit mécano de fortune, artiste du bricolage en tout genre ; étonnantes devantures d'où pendent des chapelets de slips en dentelle, des

Dakar :
le port et
la cathédrale.

grappes de soutiens-gorge, énormes, noirs ou vieux-rose ; fontaines publiques, surnommées « robinets bagarres », où se retrouvent les femmes autour de la corvée d'eau et des derniers potins du quartier ; boutiques du traditionnel épicier maure ou du *borom dibi* (marchand de viande grillée) ; étals des vendeurs de gris-gris, amulettes et autres talismans, avec leur bric-à-brac de racines, dents de lions, griffes de singes, crânes de lézards ou de crocodiles et autres dépouilles magiques ; pyramides de tomates, citrons ou fraises derrière lesquelles règnent d'imposantes vendeuses, les bras croisés sur leur embonpoint. Partout, des petits groupes disséminés autour d'une grande palabre, d'un verre de thé à la menthe, d'une séance de *sabar* (tam-tam) ou d'une partie de dames (très populaire au Sénégal : Baba Sy, héros national, tint longtemps tête aux champions russes). Et, s'écoulant superbement à travers tout cet espace hétéroclite, l'une des plus belles foules du monde, des plus baroques et des plus harmonieuses.

Premier choc des boubous, des couleurs et de la bonne humeur, et déjà la fascination de certains détails comme l'infinie variété des couvre-chefs. Toute une gamme à vague signification socioculturelle : fichus, turbans, foulards, calottes, passe-montagnes, bérets, fez, casquettes, feutres à la Bogart, bonnets de laine avec ou sans pompons, képis et même... casques coloniaux, toujours très en vogue chez les vieux paysans, en concurrence avec le conique *teṅgado* de paille et de cuir.

Lors de la visite d'Élisabeth II, en 1968, les reines étaient dans l'assistance et Albion portait un vilain petit chapeau comestible. C'est sur cette image d'une Europe fagotée, crispée, au milieu d'une Afrique rayonnante à l'élégance de Cendrillon, que je débarquais au Sénégal. Je n'en suis toujours pas revenu.

Le soleil sur la tête

Les Blancs ont cru longtemps que seul le casque colonial pouvait les garder des rayons mortels du soleil sur la tête. « Le soleil sur la tête », c'est ainsi que les Peuls[1] désignent le

1. Nous avons opté au pluriel pour l'accord des noms de peuples (N. d. É.).

zénith et, par métaphore, la capitale. Le nom de *Dakar* était inconnu avant 1750. Il apparaît alors dans les croquis du naturaliste Michel Adanson. Deux étymologies wolofs contestables et contestées : *Daxar*, le tamarinier ; *dëkraw*, le refuge.

On peut s'étonner du peu d'empressement que mirent les Français, tout comme leurs prédécesseurs portugais ou hollandais, à débarquer sur la presqu'île. Cantonnés dans l'île de Gorée, ils ne voyaient dans le continent qu'un endroit « malsain et peu sûr » où il fallait bien se procurer l'eau, le bois et les vivres frais, après palabres et marchandages.

Longtemps controversée, la prise de possession - au nom de la France - du « territoire de Dakar » s'appuya sur plusieurs « traités » avec les rois du Kayor, traités qui ne furent suivis d'aucun effet et dont la réalité même était contestée. D'autre part, certaines conventions avaient été signées avant l'avènement de la petite République indépendante des Lébous. Tout était donc à refaire et les pressions des commerçants goréens, qui reniflaient de bonnes affaires continentales, finirent par secouer les gouverneurs de l'île.

Dakar doit d'abord son succès à sa place de cap de l'Afrique en face des Amériques et à son rôle de capitale de la fédération de l'Afrique occidentale française (AOF). C'est un de ses premiers paradoxes d'être devenue la trop grosse tête d'un petit pays, après avoir rayonné sur le vaste empire rose de nos atlas d'écoliers. Hydrocéphalie vorace qui engloutit la plupart des équipements publics, des médecins (214 sur 281), des pharmaciens (72 sur 91) ou des dentistes (23 sur 29) et plus des trois quarts des emplois du secteur moderne (52 000 sur 64 000). Dakar comptait 1 500 habitants en 1878. Aujourd'hui, le Grand-Dakar s'étend sur presque toute la presqu'île du Cap-Vert et dépasse largement 600 000 habitants (350 000 pour le centre). Il s'agit d'une population jeune, avec plus de 50 % de moins de vingt ans et une émigration rurale qui vide la brousse et fabrique des chômeurs. Population disparate comme les quartiers à travers lesquels elle se stratifie par affinités ou ethnies : Diolas de Fass, Toucouleurs de Guedj-Awaye, Sérères de Usine-Niari-Tali, Européens du Plateau ou du voisinage de l'université, Libanais (15 000) et Portugais (10 000) des abords du marché Sandaga. Ensemble composite plongé au sein d'une grande majorité de Wolofs et de Lébous. L'aspect de la ville traduit à merveille ces tiraillements. Les quartiers anciens (Plateau, Port, Médina) se mêlent aux quartiers modernes (Sicap, HLM, Cerf-Volant), résidentiels (centre, Fann, Hann, Pont-E) et populaires (Fass, Médina, Colobane...), les buildings et les petites villas coloniales, les HLM et les bidonvilles, les supermarchés et les étalages, à la chaîne des anciens villages lébous (Fann-Hock, Ouakam, Ngor, Yoff et Hann).

C'est encore dans les interminables faubourgs populeux de Pikine que bat au plus profond le cœur du Sénégal urbain. Une ville de bric et de broc, véritable sas avant et après l'accès périlleux à la capitale, qui déploie ses tentacules vers la mer, Rufisque et Dakar. Son nom pourrait être déjà : Dagoudane-Pikine-Guedj-Awaye-Cambérène-Malika – et ainsi de suite jusqu'à engloutir l'un après l'autre tous les petits villages voisins. Avant 1952, Pikine n'existait pas. La ville est née d'une décision administrative tendant à reloger un certain nombre d'habitants de la Médina et du maquis dakarois qui étaient expulsés de leurs quartiers, restructurés dans de vastes projets d'urbanisme (phénomène du « déguerpissement »). De 30 000 en 1961, la population est passée aujourd'hui à plus de 300 000, avec 30 % de chômage parmi la population active masculine et d'insolubles problèmes de transports et d'équipement. Il faut voir les cars-rapides pris d'assaut dès le petit matin. Badigeonnés de bleu roi, décorés de mosquées, de lions et de cocotiers, rafistolés jusqu'au moyeu, bardés de gris-gris protecteurs et d'écritures sacrées, ces « m'en fous la mort » vous imposent une résignation fascinée, une âme de valise. Bondés, bombés, ils débordent de toute part. Les bagages, pêle-mêle sur le toit, font de la haute voltige, au milieu des caisses de poulets, des fûts ou des sacs de cacahuètes.

Pikine, c'est exactement le contraire du village traditionnel, si cohérent et si harmonieux, où chacun trouve sa place sans difficultés. Ici, tout est accumulation désordonnée, improvisation et bricolage. Des hectares de baraquements éparpillés entre la seule artère goudronnée et les grandes dunes de l'Océan. Le système D en matière d'habitat, n'importe quoi et chacun pour soi. L'individu flotte loin de ses racines et se sent perdu, en marge de la grande ville. Et pourtant Pikine *by night* ne manque pas de charme, avec ses clubs de jeunes, ses bars clandestins, ses chants religieux et le pouls inégal d'un lointain tam-tam, toute cette animation qui commence à bruire dès la tombée de la nuit.

En 1972, eut lieu une campagne sénégalaise de la prévention routière. Pancartes tous les cinq kilomètres avec des slogans-chocs : « Mieux vaut embrasser une jolie fille qu'un poteau télégraphique », « Plus de cent, plus de sang. » Et des images terrifiantes, comme celle de la Mort avec sa grande faux, ricanant par anticipation : « Plus vite tu iras, plus vite tu seras à moi... » De quoi perdre les pédales !

Pêcheurs lébous

Les premiers navigateurs portugais, quand ils longèrent les côtes du Sénégal en 1444 à bord de leurs caravelles, eurent la surprise de voir surgir à leur rencontre « de frêles esquifs se jouant de la houle et du ressac ». C'est pourquoi ils baptisèrent *Almadia* (pirogues) cette pointe historique, que devaient faire connaître ses pilleurs d'épaves (jusqu'au traité du 10 août 1826) et son Club Méditerranée (traité de mars 1977).

Il n'y a plus d'épaves (si ce n'est celle d'un thonier japonais échoué depuis 1964, proie toute désignée pour les safaris aquatiques des GM sous-marins) et donc plus de naufrageurs, mais les pêcheurs lébous restent parmi les meilleurs marins d'Afrique, champions incontestés du surf en pirogue sur les déferlantes de la Grande Barre.

Les acrobatiques retours de pêche du village de Kayar font partie des inévitables excursions programmées par les agences de voyage de la place. Ce qui ne va pas sans anicroches entre visiteurs et visités, le touriste ne voulant pas être assimilé à un billet de banque et les villageois, saturés, refusant de se transformer en photos-souvenir. Les hôtes ne sont plus des êtres rares envoyés par la Providence, « des voyageurs qui s'en vont chercher un bout de conversation au bout du monde » (selon la formule de Barbey d'Aurevilly), mais des masses compactes, conditionnées et imperméables. L'hospitalité légendaire

Coiffeur de plein air.

craque de toute part et n'est plus qu'une technique éculée pour « vendre ».

Un spectacle superbe néanmoins et des pêches gargan-tuesques étalées sur la plage : daurades, capitaines, mulets, barracudas, et surtout les énormes thiofs (sortes de mérous) qui trônent sur toutes les bonnes tables au Sénégal, au centre du fameux *cep bu jën* (riz au poisson), steak-frites national. A Kayar, ne pas traverser *l'Auberge des Cocotiers* sans goûter le poisson grillé de mon ami Dédé Diagne, pimenté et eupho-risant.

Les pirogues, alignées le long de la plage comme pour le départ d'un Grand Prix, se nomment Concorde, Moustapha Fall-délégué général au Tourisme, Maïmouna ou Harlem. Peinturlurées de motifs plus ou moins cabalistiques, cœurs, croissants, étoiles, as de pique, soleils, feuillages, cocardes, ellipses et drapeaux tricolores, elles portent aussi, en carac-tères arabes, le nom du marabout chargé de leur protection... Sans oublier le gri-gri anti-chavirage *(galaju gal)*, jeu de cornes de mouton ou de chèvre, fioles et sachets d'étoffe, emplis de substances magiques (racines, fragments d'ani-maux, liquides où auraient macéré des feuillets de textes coraniques...), le tout glissé dans l'éperon avant la première mise à l'eau.

Avec une telle panoplie, les exemples de retours miraculeux ne se comptent plus... Bien souvent grâce à l'aide de Gilax, ce gros poisson noir, bon génie des eaux, qui ramène les nau-fragés jusqu'à la plage en les portant sur son dos. Gilax sur-prend parfois les pirogues au large et ne manque pas de les inspecter avec soin pour en extraire les sorciers-mangeurs d'âmes *(dëm)* qui auraient pu s'y glisser.

L'origine du mot *lebu* est très controversée : pour certains mauvais esprits, il viendrait de *leb* (conter, en wolof) et aurait été attribué à « ceux qui ont la fâcheuse habitude de dire des fables », de dissimuler, de ruser... mais la parole n'a-t-elle pas été donnée à l'homme pour déguiser sa pensée ? Aussi les Lébous ne rejettent-ils pas cette étymologie. D'autres traduisent ce terme par « défi » et soulignent l'extraordinaire volonté d'indépendance de ce petit peuple (70 000 personnes environ), ancien maître de la presqu'île, dont l'influence et

la cohésion se maintiennent au sein de la communauté dakaroise, si complexe et cosmopolite.

Originaires de la vallée du fleuve Sénégal, les Lébous en
auraient été chassés au XIe siècle par les conquérants almo-
ravides, moines guerriers du Sahara qui poussèrent la guerre
sainte jusqu'en Espagne. Les Lébous se joignirent tout d'abord
à la grande migration vers le sud du groupe sérère, auquel ils
reconnaissent encore la qualité de « parents à plaisanteries »
(kal) : cousinage où il est permis de se taquiner et même
de s'insulter sans que cela tire à conséquence. Ils se seraient
installés pendant quelque temps sur les rives du lac Tamna,
puis auraient continué vers le sud-ouest pour fonder
Kounoune, Rufisque, Bargny, et occuper bientôt toute la
presqu'île du Cap-Vert. Mais, aujourd'hui, beaucoup de
leurs villages ont été « déguerpis ».

Le « déguerpissage » (formule administrative consacrée)
est le fait d'une impitoyable technocratie internationale importée sous les tropiques pour en laminer les différences trop
voyantes. Ainsi la « perle de l'Afrique » perd bien de ses couleurs sous les coups d'une ambitieuse politique d'aménagement et d'assainissement, et ses rues finissent toutes par se
ressembler. Mais foin de nostalgie exotique et vive le progrès !

De leur côté, les pouvoirs publics semblent prendre conscience que le fameux déguerpissage ne résout pas les problèmes
(relogement, transports...). D'où une nouvelle politique, celle
de l'Opération Fass-Paillotes, qui propose une formule de
viabilisation sur place.

Il faut rappeler, pour la petite histoire, la brève épopée
des « nichonvilles » construits par les Américains à la fin de
la guerre : ballons de caoutchouc gonflés sur lesquels on versait
du béton. La case à l'occidentale. Bon marché, mais on y crève
de chaud.

Dès 1800, les Lébous secouent l'autorité du *damel* (roi)
du Kayor, et Dial Diop, héros de cette guerre de libération,
devient le premier chef d'un État lébou indépendant. République lilliputienne, dont l'organisation politique a fonctionné
jusqu'à l'installation française, elle comprenait des assemblées (les *jambur*) et des chefs coutumiers et religieux *(seriñ
ndakaru, ndey di rew, iman, cadi...)*. Les titres sont restés,

Barbier.

Jeux de dames.

Une rue de la Médina.

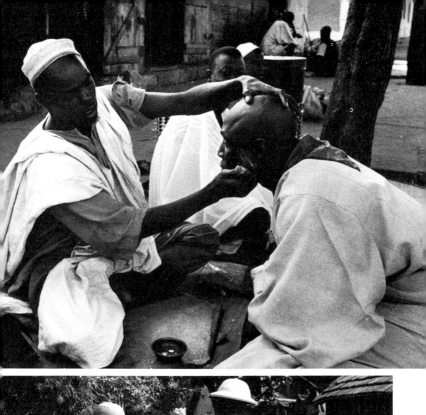

et pas seulement pour parader en grand boubou amidonné dans les cérémonies officielles. El Hadj Momar Marène Diop, grand *seriñ* de Dakar et chef de la communauté lébou, n'est pas un personnage de folklore. Il s'entretient régulièrement avec le président de la République.

Ce fut l'un de ses prédécesseurs, Moctar Diop, sorte de grand doge de la presqu'île, qui recueillit, en 1816, les survivants du radeau de *la Méduse*.

Pour se protéger des razzias menées par les cavaliers du *damel* (les *cedo*), les Lébous construisirent des retranchements de pierres sèches et d'argile (les *tata*), isolant ainsi le cap Vert derrière un rempart d'ailleurs plus magique que stratégique. Les vestiges de ces fortifications sont encore visibles près du village de Yoff.

L'islamisation, sur fond d'animisme tenace, est récente en pays lébou (vers 1900 pour Mbao). Limamu Laay devint prophète à la suite d'un pacte diabolique avec un poisson-génie et créa une nouvelle confrérie dérivée de la Khadriya, celle des Layène.

Surtout influente dans les villages de Yoff et de Cambérène, la confrérie layène présente la double originalité de dégager ses fidèles de l'obligation du pèlerinage à La Mecque et de permettre aux maris polygames de ne plus se limiter au maximum de quatre femmes prescrit par l'islam orthodoxe.

Les anciens villages lébous figurent toujours en pointillé sous les buildings que le Dakar moderne a dressés. Ni l'islam ni le tintamarre de la ville n'ont pu chasser Ndëk Daur, le grand génie protecteur, et les cultes de possession *(ndëp)* font encore partie de la vie courante à Yoff ou à Mbao. Comme pour le vaudou d'Haïti, le macumba du Brésil et le santeria de Cuba, il s'agit de danses sacrées et de sacrifices (pouvant durer deux ou trois jours) destinés à expulser le mauvais génie : « Tu t'en retournes où tu as habité. » Ces attaques démoniaques, traditionnellement sexistes, surprennent presque toujours les femmes métamorphosées en *lefoxar* (possédée). La danse est d'abord lente et monotone, puis le balancement des bras s'accélère avec le battement des tam-tams, jusqu'à l'effondrement et les contorsions au sol. Un interminable corps à corps avec *Saytane* (Satan) qui se terminera par le

Départ pour la pêche à Kayar.

sacrifice d'un jeune taureau dont le sang sera versé sur la tête et les vêtements de la possédée par la « patronne » du culte. Psychiatres et ethnologues n'ont pas conclu leur querelle sur les crises de possession, la part de tricherie ou de mystère. Hystérie ou comédie rituelle ? Pour Georges Balandier (*Afrique ambiguë*, 1962), nous sommes en présence d'un « dérèglement largement réglé, une technique de communication avec le divin ». En tout cas, le Pr Colomb et son équipe de l'hôpital de Fann (Dakar) ont souvent recours à cette psychothérapie traditionnelle. Et, symbole du Sénégal contemporain, le *ndëp* vient épauler la médecine occidentale.

C'est le problème du ravitaillement qui emporta la décision d'un « débarquement ». L'occupation de la côte par les troupes françaises, le 25 mai 1857, est symbolisée par la prise de possession officielle de la Maison Jaubert, achetée par l'administration aux héritiers du célèbre pionnier marseillais, grand ancêtre de la cacahuète. A cet emplacement, s'élève aujourd'hui la place de l'Indépendance. Le capitaine Protet indique, dans un compte rendu historique, comment il sut, peu de jours avant l'occupation, « se gagner les indigènes » par cadeaux, ruses et intimidations.

Un fort fut édifié et les travaux du port commencèrent en 1862. L'inauguration en grande pompe, quatre ans plus tard, fut endeuillée par l'épidémie de fièvre jaune qui venait de se déclarer à Gorée. Ce mauvais présage n'empêcha pas Pinet-Laprade de tracer le premier plan de la ville, de démarrer les travaux de signalisation (phare des Mamelles, du cap Manuel et de la Pointe-des-Almadies), ni de se lancer dans une grande politique d'urbanisme. A sa mort, le 17 août 1869, le Dakar *tubab* est né.

Histoire contemporaine : le 29 septembre 1940, le gouverneur général Boisson, surnommé « meurtri dans ma chair » (à cause de ses blessures), après avoir appelé les Français libres, retourne sa veste au son du canon et, s'appuyant sur les grandes traditions antibritanniques de la Royale, fait échouer la tentative de débarquement anglo-gaulliste. Le général ne le lui pardonnera pas.

L'arbre à tout faire

Après l'alizé, la *teranga*, la cacahuète et la négritude, le baobab est un des piliers de l'imagerie d'Épinal du Sénégal. Arbre symbolique et emblème des tampons administratifs, il règne avec ostentation à la campagne comme à la ville. Splendide, grotesque et torturé, comme s'il avait poussé à l'envers, les racines vers le ciel.

Prière du vendredi dans une rue de Dakar.

On reproche souvent à ce géant des savanes de n'être qu'un tigre de papier, dont l'imposante stature ne peut dissimuler l'inutilité : *bâ gan te laj kilik* (le baobab est grand mais il ne produit pas de bon bois pour le feu), dit le proverbe ndout. Moralité : le courage et la valeur ne dépendent ni de la taille ni du poids. Une autre sentence de la même veine souligne que l'on n'a jamais taillé une porte dans son tronc... C'est que le baobab n'est après tout qu'un gigantesque roseau au bois tendre (son tronc est creux ainsi que ses branches), comparable à un fragile malabar après des années de « gonflette ».

Baobab *(gwi)* viendrait du terme arabe *bu hibab* : fruit aux nombreuses graines. Certains vétérans, couverts de cicatrices et de boursouflures comme le cuir d'un vieil éléphant, pourraient avoir plus de mille ans. Leur tour de taille rivalise alors avec les plus gros séquoias d'Amérique du Nord : 24,50 m de circonférence (soit 8 m de diamètre) pour celui de Oukam mesuré en 1957 et aujourd'hui défunt. C'est à Iwol, petit village bedik du Sénégal oriental (près de Kédougou), que se trouve le plus gros baobab connu. Quinze hommes, bras écartés, ne parviennent pas à le ceinturer.

Un nom qui fleure bon le terroir et pourtant d'importation, une allure de pachyderme mais simple façade, le baobab ne dominerait-il les savanes sénégalaises que comme le plus stérile des décors en trompe l'œil ? Bien au contraire, et la liste de ses multiples usages en fait l'arbre à tout faire du paysan... On pourrait même parler d'un cycle du baobab, tant il accompagne l'homme de la naissance à la mort, du sevrage de l'enfant avec le *lalo* (feuilles sèches réduites en poudre) jusqu'à servir de dernière demeure chez certaines castes. Le baobab peut être un fabuleux distributeur automatique pour un vieil ermite en mal de retraite et d'auto-subsistance.

Opération survie

Le tronc du baobab récolterait l'eau du ciel, stockée dans des récipients fabriqués à partir des branches (« arbre aux calebasses »). Ces mêmes calebasses, bricolées de cordes, permettraient à notre ermite d'égrener quelques complaintes solitaires ; les jeunes plants (consommés comme des asperges), les feuilles fraîches (soit comme des épinards, soit pour les sauces et potages), les feuilles sèches, les jeunes racines cuites, la pulpe du fruit (le fameux « pain de singe », farineux et acidulé, si riche en calcium et en vitamines) et enfin les graines (huile) lui assureraient des menus variés et équilibrés.

Avec l'écorce, il pourrait tresser des cordes et des vêtements ; l'huile des graines et la potasse de la coque seraient d'excellents ingrédients pour un débarbouillage ou une lessive de fortune. Quant aux maladies courantes - asthme, dysenterie (« le ventre qui court »), anémie, vers, piqûres d'insectes, plaies, rougeole, fièvre, variole, infection des yeux, etc. –, il existe pour s'en débarrasser toute une pharmacopée baobabienne à base de décoctions, tisanes, compresses, lotions et autres potions magiques... Enfin, quand malgré toute la générosité de son inépuisable protecteur, notre vieil ermite sentira ses forces décliner, il pourra toujours se réfugier au cœur de son tronc et y attendre la mort.

Joueur de kora (défilé lors de la Foire internationale de Dakar).

Arbre de vie mais aussi tombeau pour les griots sérères qui sont enterrés (on devrait dire « embaobabisés ») loin du cimetière du village pour ne pas souiller la terre et la rendre stérile à jamais. Les griots (*kawl* en sérère, *gewel* en wolof) forment une caste tout à fait à part au sein des sociétés ouest-africaines. Troubadours, ménestrels, généalogistes, conseillers, fous du roi, flagorneurs des riches et des puissants, inlassables quémandeurs et piliers de toutes les noces et banquets, ils sont à la fois craints et méprisés, raillés et payés. Les « bleus » (billets de 5 000 francs CFA), prestement épinglés sur le boubou, défilent entre leurs mains pour qu'ils chantent les louanges de leur donateur. J'en ai moi-même fait l'expérience et me suis laissé bercer par ces douces paroles : « Saglio, le plus beau, avec sa grosse moto, Saglioooooooo *amul morom* (n'a pas son égal)... » Rien de mieux pour vous remonter le moral que cette mélopée ponctuée de quelques accords de *kora* (guitare traditionnelle) et de clins d'œil complices. Au Kayor, à chaque *damel* était attachée une famille de griots. Ceux-ci sont passés maîtres dans l'art de jouer avec les noms propres, les *xeet* et les *sant*, de façon à nommer, sans nommer tout en nommant, l'objet de leurs railleries ou de leurs louanges. Seul le connaisseur s'y retrouve et les comprend. C'est d'ailleurs par cet art de l'ellipse et de la métaphore et par toute une série de contes et de récits humoristiques qu'ils arrivaient jadis à faire passer certaines critiques, reflets des murmures et reproches qui couraient parmi la population. Bref, comme le dit le dicton peul : « Fade est le riz sans la sauce, plat le récit sans mensonge, ennuyeux le monde sans griot. »

Guy Thilmans, anthropologue à l'IFAN (Institut fondamental d'Afrique noire) de Dakar, était un des grands spécialistes des « expéditions crânes » dans les baobabs à griots. A travers nids d'abeilles, coupe-coupe vengeurs, marchandages macabres et autres péripéties, ces viols de sépultures pour la sacro-sainte cause scientifique lui ont permis de constituer une impressionnante collection de crânes qui hante les étagères de son bureau de l'université dans l'attente d'une étude anthropométrique comparative.

Le baobab conserve comme un sarcophage, et les squelettes

des griots de Ouakam étaient en bien meilleur état après de nombreuses décennies que celles de leurs princes réduits en poussière dans le sable des cimetières.

L'éthnologue psychanalysé
Je fus à mon tour victime des multiples facettes et facéties du baobab quand, jeune universitaire timide et conquérant, je m'aventurai par une nuit inspirée au faîte d'un gros solitaire que je pressentais plein de mystères. Escalade héroïque, ma lampe ayant rendu l'âme comme par quelque occultation magique ; glissade dans le tronc, le cœur serré par l'angoisse du chercheur, de celle qui précède les grandes découvertes... pour atterrir, au milieu de hurlements terrifiants, sur une masse aussi molle que contestataire : mon baobab était une porcherie.

Arbre de vie, arbre sacré, gardien de nombreux villages, le baobab mérite bien sa place dans la mythologie des rêves africains de notre enfance, avec lion couché à ses pieds ou planète du Petit Prince. Dans le jargon anthropologico-

Troupeau de zébus dans le Sahel.

freudien, il est « l'intermédiaire entre le Ciel et la Terre (arbre cosmique), protecteur, nourricier (maternel), phallique (paternel et ancestral), image ambiguë de la mort et de la renaissance continuelle » (Calame-Griaule).

Ses démêlés avec les ingénieurs des Ponts et Chaussées, pour lesquels il est souvent l'ennemi du progrès-en-ligne-droite, sont dignes des plus belles histoires de Maupassant. Il perd pourtant certaines batailles, comme tout dernièrement à Niongolor, près de Fatick, où la SENELEC (équivalent de notre EDF) réussit, malgré l'opposition des griots, à enlever un de leurs baobabs qui gênait l'installation des fils électriques Dakar-Kaolack. Cette même SENELEC vient de défigurer la plus jolie petite place de l'île de Gorée en y plantant une de ces hideuses guérites bivoltage dont seule l'administration a le secret.

Les Mamelles

L'écrivain Birago Diop a interrogé Amadou Koumba sur l'origine de « ces deux bosses de la presqu'île du Cap-Vert, dernière terre d'Afrique que le soleil regarde longuement avant de s'abîmer dans la mer ». Il nous conte la malheureuse histoire de Khary Khougne la bossue. Cette épouse jalouse se vit, un beau matin, affublée d'une seconde bosse alors qu'elle voulait se débarrasser de la première par un curieux strata-gème : la recouvrir d'un pagne comme si c'était un enfant qu'elle portait dans le dos. Aussi, « désespérée, retroussant ses pagnes, elle se mit à courir droit devant elle ; elle courut des nuits, elle courut des jours, elle courut si loin et elle courut si vite qu'elle arriva à la mer et s'y jeta, mais elle ne disparut pas tout à fait : la mer ne voulut pas l'engloutir entièrement ». Birago Diop est un merveilleux conteur, et bien d'autres légendes rôdent autour de ces collines inspirées, si anachro-niques à l'entrée de ce plat pays. Certaines évoquent l'opu-lente poitrine d'une femme peul métamorphosée en lamantin, cette espèce de phoque, informe et sans grâce, qui fut si sou-vent confondu, dans le délire des naufragés, avec d'affriolantes sirènes, langoureusement vautrées sur les récifs.

Anciens volcans, dont la dernière coulée date de 850 000 ans av. J.-C., les Mamelles (105 m pour le sein droit quand on vient de l'aéroport) sont l'un des points culminants du Sénégal (mont Assirik, 311 m). Vertigineux honneur qu'elles partagent avec le « building administratif », haut lieu du gouvernement et cible favorite des Courtelines locaux qui ne voient dans cette immense pâtisserie érigée à la gloire du fonctionnariat que le temple du laisser-aller institutionnalisé où ceux qui partent en avance croisent ceux qui arrivent en retard. Entre la lecture du *Soleil* (le quotidien national) et la visite de nombreux parents et amis, les dossiers peuvent dormir tranquilles. Mauvais esprits qui n'ont pas tout à fait tort, tant les véritables problèmes des habitants du « building » sont ailleurs et tant leurs pensées s'envolent loin des bureaux, éparpillées entre coépouses, marabouts et fins de mois.

On préfère la veste et la cravate à la brousse, mais le cœur reste au village. Cette nouvelle bourgeoisie de la fonction publique (voiture de service, logement de fonction, soirée de gala au théâtre Daniel-Sorano...) paie d'ailleurs fort cher la rançon de ses privilèges, et le cumul de deux modes de vie, « paraître » à l'occidentale et « être » à la sénégalaise, les contraint à une épuisante gymnastique culturo-financière.

Héritage du modèle administratif français, alimentée par l'exode rural et l'incapacité du secteur productif urbain à fournir des emplois, l'administration pèse d'un poids considérable sur l'économie du pays. Les dépenses en personnel représentent plus de 50 % des dépenses ordinaires de l'État. Un rapport du BOM (Bureau Organisation et Méthode, rattaché à la Présidence) fait remarquer qu'elles sont équivalentes aux exportations arachidières en bonne année de récolte. D'où l'image du maigre paysan portant sur ses épaules un énorme fonctionnaire hilare et repu. Apoplexie administrative souvent dénoncée. Le président Senghor parlait au dernier congrès du parti, en décembre 1976, de la « pléthore de l'administration », des « gaspillages » et des « détournements de deniers publics ». Cette dénonciation fut suivie d'une campagne de conscience professionnelle, lancée en mai 1977 par le Premier ministre « contre le laxisme ambiant qui semblait gagner les élites, beaucoup ne se souciant que d'améliorer leur situation matérielle ».

Ile aux Serpents

On appelle *kër jan yi* (la maison des serpents) cette île maudite, et il semble bien, en effet, que tous les mauvais génies se soient emparés d'elle.

A la même distance du continent que Gorée, et de superficie sensiblement égale, l'île aux Serpents (qui forme, avec les îles Lougne, l'archipel des Madeleines) n'a pas connu le passé brillant de sa célèbre sœur ; elle est délaissée et inhabitée pendant presque toute l'époque historique (manque d'eau et mouillage difficile). Pourtant, de nombreux tessons de poteries et outils de silex témoignent d'une occupation humaine tout au long de la protohistoire.

Ile maudite, battue par les alizés ; Ndëk Daur, le grand *rab* (génie) de Dakar, y aurait une de ses résidences favorites. Son nom serait la déformation d' « îlot Sarpan », mauvais sujet de l'armée coloniale déporté dans ces lieux étranges pour y méditer au milieu des baobabs nains et des pierres volcaniques. Ile lunaire et déserte qui ne s'anime qu'à la tombée de la nuit de tout un fantomatique ballet de *jine* et de *seytane* (génies), hommes au teint clair et aux longs cheveux noirs, hommes-serpents, hommes-flammes... C'est d'ailleurs cette armée hétéroclite qui repoussa les Lébous quand, au terme de leur migration du Dyolof, ils voulurent s'installer dans l'île. Puissances occultes qui leur firent comprendre, à coups de pierres et de boules de feu, qu'il valait mieux habiter l'autre île (Gorée). En souvenir de cette déroute, certains Lébous appellent encore l'île aux Serpents *Gorée gun jëk*, Gorée l'Ancienne.

Aujourd'hui, les pêcheurs s'y rendent le moins possible, et pour rien au monde ils n'accepteraient d'y passer la nuit. Ils ne s'y aventurent que pour quelques sacrifices diurnes, quand un des leurs a péri en mer. Les carcasses des animaux immolés (bœufs, chèvres, poulets) disparaissent mystérieusement pendant la nuit. C'est l'œuvre des génies auxquels on attribue même l'échec de toute tentative troublant les limites de leur territoire extra-terrestre (projet d'un centre héliomarin). Ils ont trouvé un allié de dernière heure avec la Direction des parcs nationaux qui vient de créer tout autour de l'archipel une ceinture de protection contre les pique-niqueurs et les chasseurs sous-marins.

Parc national du Niokolo-Koba, vu par le peintre Alphadio.

Jusqu'ici l'on pouvait, après d'acrobatiques marchandages (entre 3 000 et 5 000 francs CFA), louer les services d'un piroguier de Soumbedioune et s'engouffrer dans l'étroit goulot qui débouche sur la « crique Hubert » comme sur un merveilleux repaire de corsaires. Passage périlleux, surtout par forte houle, qui se terminait souvent par de lamentables naufrages (perte d'appareils photos, clefs, papiers d'identité, inévitable panoplie du voyageur du XXe siècle), faisant partager aux Européens les croyances sur l'île maudite. Les Blancs ne seraient-ils plus transparents pour les génies ?

Je n'ai rien contre les parcs nationaux et autres cathédrales écologiques, sauf quand ils se créent aux dépens des populations. En pays bassari ou bedik, le mot « braconnier » n'existe pas et l'on dit « chasseur » *(onexa)*. Il s'agit d'une chasse très peu destructrice, souvent rituelle et permettant de survivre pendant la période dite « de soudure » (juillet-août), quand les greniers à mil sont vides et que les nouvelles récoltes tardent à venir. Rien à voir avec le braconnage industriel qui était pratiqué il y a quelques années sous la coupe de riches trafiquants dakarois. Le parc national du Niokolo-

Koba (lire *Spirou et le gri-gri du Niokolo-Koba*) s'étend de plus en plus, expulsant des villages entiers (comme Damantan, Badi ou Niéménéké, qui ont dû abandonner leurs bois sacrés, leurs cimetières et tout leur passé) et « coinçant » certaines ethnies dans une étroite bande montagneuse, entre la Guinée et les gardes armés du conservateur en chef, « ce Français qui sauve les éléphants » (titre d'un article cocorico de *Paris-Match*, juin 1977).

Les lions de France

Pour peupler les parcs, on a importé des gazelles du Maroc, des girafes du Niger et même des lions... de France. Ces derniers eurent un bien triste sort. Après une mémorable descente d'avion sous les flashes des journalistes, chaperonnés par leur ancien maître le vicomte de La Panouse, ils furent exilés au Niokolo-Koba, où l'on tenta de les initier aux dures lois de la jungle. Incapables de chasser, et donc de survivre par leurs propres moyens, ils étaient aussi beaucoup trop affectueux. Au grand dam des malheureux gardes forestiers

LE FRANÇAIS QUI SAUVE LES ÉLÉPHANTS

qui se faisaient courser jusque devant leur porte. Accusés de semer la terreur chez les nationaux, les « lions de France » furent alors déportés et enfermés dans le zoo de Hann, aux portes de Dakar. Ils y trouvèrent la mort, fusillés par l'armée sénégalaise, une main coupable ayant, paraît-il, ouvert les cages. Ce fait divers permit au *Dakar-Matin*, prédécesseur du *Soleil*, de titrer : « Les lions sont dans la ville », avec en première page la photo des valeureux vainqueurs.

En pays floup, au sud de la Casamance, les villageois d'Effok, d'Essaout, de Diakène ou de Boutitingo ne peuvent plus pénétrer dans ce qui était « leur » forêt sans encourir de fortes amendes et même des peines d'emprisonnement (parc national de Basse-Casamance, Santhiaba-Mandjack). Gare à ceux qui flânent en lisière, l'arc en bandoulière.

Et cette redoutable « parcomanie » gagne les îles du Saloum et l'île aux Serpents après avoir gangrené le delta du fleuve Sénégal (parc du Djouj). Partout, de touchantes pancartes proclament : « Les animaux sont nos maîtres », ou : « La nature est notre mère. » A ce train-là, le Sénégal sera vite transformé en monumental Thoiry tropical pour safaris-photos-pataugas-aux-pieds, de Tartarins en quête de « nature sauvage et inviolée »... à la recherche d'un éden touristico-écologique, un pays-parc-national où l'animal sera roi et l'homme sa victime.

Gorée

Novembre 1968 : première visite. Déception, décrépitude, désespérance, décor d'opérette, déjà vu. Rendez-vous manqué. J'étais l'étranger qui voit un peu vite et passe à côté des mystères. Comme un visage que l'on n'aperçoit pas tout de suite et qui se referme sur vous pour longtemps. Gorée la silencieuse, piège hors du monde et du temps, petite île hantée dont la tristesse semble à chaque instant contredite par le soleil ou la gaieté de ses habitants. Trois kilomètres au large de Dakar, comme des siècles. Les vraies racines sont celles que l'on se fabrique et, après l'île de Bréhat, c'est ici que j'ai enfoui beaucoup de moi-même. Cinq ans, au rythme des chaloupes... cinq ans jour après jour, apprivoisé aux détours des complicités de voisinage et des petites rues de sable.

La mer est au bout de chacune d'elles : rue des Gourmettes (c'est ainsi que l'on désignait les pilotins et matelots africains, catholiques et habillés « à la française »), rue Bambara, rue Saint-Germain, rue des Batteries, allée des Baobabs, quai des Boucaniers, rue des Dongeons (en anglais, *dungeon* signifie cachot), place de l'Église (Saint-Charles 1829), rue du Chevalier-de-Boufflers...

Ce dernier, gouverneur du Sénégal (1785-1787), chevalier de l'ordre de Malte, colonel des hussards, membre de l'Académie française et auteur de poésies légères fort appréciées, n'avait accepté ce poste lointain où il se considérait en exil qu'afin de rétablir sa fortune et d'épouser Éléonore de Sabran. Il entretenait avec elle une correspondance pleine de sensuelle mélancolie : « Les gens du village m'ont fait toutes sortes de présents, entre autres du vin de palme sortant de l'arbre, meilleur que le vin d'Arbois. Il est vrai qu'il n'est bon que le premier jour. Il ressemble au plaisir ; mais non pas au plaisir dont tu es la source et la recette. O mon joli palmier, quand irai-je boire de ton vin ? »

En retour, son trop lointain amour lui avait délivré un sauf-conduit sentimental qui commençait par ces vers : « Sois constant tout au moins si tu ne m'es fidèle ; pense à moi souvent dans les bras de ta belle... »

Les signares

Ce fut donc un exil doré, et les lettres de l'ardent chevalier font revivre l'époque de « Gorée la joyeuse », des élégantes signares et des fêtes galantes du XVIIIᵉ siècle.

Signare était un véritable titre. Le mot viendrait du portugais *senhora* et servait à désigner une mulâtresse mariée « à la mode du pays » *(a la moda terra)*. C'est-à-dire pour une union provisoire, valable seulement pendant le séjour en Afrique de l'époux européen – qui pouvait fort bien déjà avoir une femme légitime dans son pays. Ce mariage exotique donnait lieu à tout un cérémonial et ne cessa d'être admis qu'en 1830 (promulgation du Code civil du Sénégal). Banquets et *folgars* (bals) se succédaient pendant une folle semaine sous la coupe des griots. Le drap nuptial était promené en triomphe à travers toute l'île dès le lendemain des noces. Au besoin on tri-

Une signare de Gorée avec ses suivantes.

chait un peu. Et quand l'époux européen s'en retournait au
pays, la coutume voulait que sa signare l'accompagne jusqu'au
rivage, où elle recueillait dans un mouchoir sa dernière
empreinte sur le sable de la plage. Cette précieuse relique
était ensuite nouée au pied du lit en attendant... un très
prochain remariage.

Les signares constituaient une puissance redoutable et les
folgars et autres réjouissances permettaient de combiner à
merveille les affaires et les plaisirs. Une des grandes préoccupations de l'Européen fraîchement débarqué était d'ailleurs de « se trouver une signare » le plus vite possible. En
1767, Cathy Louette, femme la plus fortunée de Gorée et
signare du capitaine Aussenac, possède 25 captifs mâles et
43 « captives de case » (esclaves domestiques). Bon parti,
et splendide train de vie en perspective pour l'heureux capitaine. Sur le plan de l'île, établi en 1779 par Évrard Duporel,
11 « villas » sur 18 appartenaient à ces belles aristocrates
métisses. Partout on bâtit en dur et Gorée comptera bientôt
5 000 habitants, dont moins d'un millier d'hommes libres.

Les signares portaient une coiffe de madras (le *njumbel*) et s'entouraient d'une cour de *raporey*, jeunes esclaves chrétiennes aux cheveux tressés de louis d'or. Suivantes porte-bijoux et suivantes porte-ombrelles, leur nombre et leur élégance témoignent du train de vie de leurs maîtresses. On offrait le punch dans des calebasses aux bords enduits de caramel. Le soir, c'était le temps des visites et des processions à la lueur des torches. Danses, parades et surtout la capiteuse Anne Pépin firent oublier bien vite au chevalier de Boufflers son trop lointain palmier.

Après l'eau de rose et le vin de palme, le sang et les larmes, Gorée est certainement le lieu le plus chargé d'histoire de toute la côte ouest-africaine. Pris et repris une quinzaine de fois, l'îlot a vu s'entre-tuer les Portugais, les Hollandais, les Anglais et les Français. Le premier Européen à y aborder fut, en 1444, le capitaine portugais Dinis Dias. En 1677, l'escadre du vice-amiral d'Estrées, cinglant vers les Antilles, enlève au passage Gorée à la Hollande. Aux batailles pour la suprématie des mers (six occupations anglaises) succède la diplomatie du partage : Louis XV abandonne les Indes et le Canada, mais l'îlot est « restitué » à la France en 1814 par le traité de Paris.

Singulier destin que celui de cette petite île de pêcheurs, projetée dès le XVIIe siècle sur le tapis vert des enjeux stratégiques européens. Baptisée *Berzéguiche* (nom d'un de ses

chefs), puis *Goede Reede* (bonne rade, en hollandais), Gorée deviendra vite une étape de choix sur la route de l'Afrique. Sa position géographique et sa défense aisée permettaient le contrôle et l'exploitation des comptoirs jalonnant le littoral ouest-africain : traite des esclaves, commerce de l'or, des cuirs, de l'ivoire, du poivre et de la gomme. Elle se transforme bientôt en entrepôts à captifs et devient l'un des pôles du trafic triangulaire, Europe, Afrique, Amérique, Europe, dans le sens des vents dominants.

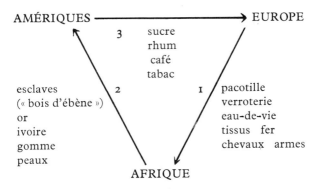

Les échanges se faisaient sur la base du troc, l'Afrique livrant des produits précieux (or, ivoire, gomme, peaux et surtout « nègres ») contre des produits dérisoires (vieilles nippes, verroterie, pacotille) ou nuisibles (alcool et armes usagées). Commerce d'un rapport considérable : de 300 à 800 %. Mais la duperie était toute relative quand chaque partenaire pensait gagner au change.

Le dernier habitant de la maison des esclaves

La « maison des esclaves », avec sa porte étroite s'ouvrant sur la mer, les récifs et la servitude, témoigne de ce passé de souffrances. Laissons la parole au conservateur Joseph Ndiaye qui, par ses commentaires et ses affichettes, fait si bien parler les murs et vibrer les cellules peuplées d'ombres :

GATEWAY TO ROOTS

GOREE ISLAND

L'arrivée de la chaloupe.

.. et la maison des esclaves (peintures d'Alphadio).

O Afrique éternelle,
voici que les lointaines plantations
des Amériques sont inondées
de tes larmes.

Le peuple sénégalais a su garder
l'actuelle maison des esclaves
afin de rappeler à *tout Africain*
qu'une partie de lui-même a transité
par ce sanctuaire.

La traite a effectué un véritable
écrémage de la population. On n'importait
que les plus jeunes, les plus vigoureux,
les plus sains, séparant mères et enfants
et bouleversant l'équilibre démographique.

En souvenir
d'horribles souvenirs.

Tandis que les ombres
du passé surgissent de l'ombre.
Mandingues, Aradas, Bambaras,
Ibos gémissaient un chant
qu'étranglait le carcan.
Ils étaient arrachés de la terre
comme les racines des temps.

Joseph Ndiaye évoque également quelques petites annonces
en vogue à l'époque :

« ACHÈTE esclave mâle, haut au moins de 7 cartas (1,62 m)
sans aucun défaut, ayant tous ses doigts et toutes ses dents,
pas chauve, d'excellente santé et sans membranes aux yeux. »

« A VENDRE une négresse nago, jeune et saine ; cuisine les
repas quotidiens, lave et repasse un peu ; elle n'a aucun vice
et le motif de la vente ne sera pas désagréable à l'acheteur. »

« PERDUE. Que celui à qui il manque une négresse de nation
nago, qui refuse de dire le nom de son maître, la recherche
au magasin... »

On se faisait d'ailleurs de « charmants » petits cadeaux-souvenirs : « J'achète en ce moment une petite Négresse de deux ou trois ans pour l'envoyer à Madame la duchesse d'Orléans... Elle est jolie, non pas comme le jour, mais comme la nuit. Ses yeux sont comme de petites étoiles et son maintien est si doux, si tranquille, que je me sens touché aux larmes, en pensant que la pauvre enfant m'a été vendue comme un petit agneau » (lettre du chevalier de Boufflers à la marquise de Sabran).

Quelques citations placardées çà et là :

« En somme le Nègre
c'est notre ombre » (Paul Morand).

« Il n'y a pas d'homme qui
ait le droit d'en posséder un autre » (Victor Hugo).

« Gorée la douloureuse
mon escale et ma patrie
mon ombilic et mon déracinement »

(J. Brierre, poète haïtien
vivant au Sénégal).

Joseph Ndiaye est sans doute le Sénégalais le plus connu de par le monde, après le président Senghor. C'est lui qui a « inventé » la maison des esclaves (environ 500 entrées par jour), dont il est à la fois la voix, l'ange gardien et la mauvaise conscience. Musée vide pour un *one man show* époustouflant, un psychodrame qui ne laisse personne indifférent. Bongo (qui le fit chevalier de l'ordre du Mérite gabonais), Pompidou, Bokassa Ier (son ancien frère d'armes en Indochine), Fara Dibah, James Brown, Baudouin et Fabiola, Houphouët-Boigny et Jimmy Cliff ont défilé entre ses mains. Le seul objet palpable de la maison des esclaves est une paire de chaînes rouillées avec lesquelles il termine la visite en mimant le lourd cheminement, boulet au pied, des malheureux captifs « allant satisfaire des besoins naturels ». De temps en temps, quand l'émotion est trop forte, il enchaîne carrément le visi-teur... Ce qui fit pleurer James Brown et fait pâmer d'horreur de respectables Afro-Américaines. Joseph Ndiaye n'est toujours pas décoré de l'ordre du Lion sénégalais. Il doit s'agir d'un oubli.

Pendant que les négriers menaient joyeuse vie dans les vastes pièces de l'étage, le malheureux « bois d'ébène », accroupi dans l'ombre des cachots du rez-de-chaussée, attendait d'être déporté vers les Amériques (surtout Guadeloupe, Guyane et Martinique). Pour un esclave atteignant sa destination, quatre périssaient en route... On peut considérer qu'au moins 50 millions d'hommes et de femmes furent arrachés à l'Afrique, du XVe siècle au début du XIXe siècle (abolition de l'esclavage sous l'impulsion de Victor Schoelcher en 1848). Alex Haley (*Racines*, 1977), dans sa quête mirobolante sur les traces de l'Ancêtre africain, trouve aux archives du Maryland un inventaire de la cargaison du *Lord Ligonnier* : 3 265 dents d'éléphants, 3 700 livres de cire d'abeille, 800 livres de coton brut, 32 onces d'or de Gambie et 98 nègres... « esclaves sains de premier choix », étiquetés « pièces d'Inde », parmi lesquels Kounta Kinté de Djouffouré, son arrière-arrière-arrière-arrière-grand-père.

Gorée reste doublement imprégnée de ce passé de fêtes et de souffrances – attaques, pillages, incendies, épidémies de fièvre jaune, esclaves en partance – mais aussi des moments de splendeur et de fastueuse insouciance. C'est maintenant une petite île qui meurt tout doucement de mélancolie dans ses ruines, ses rires et ses souvenirs.

Gateway to roots, proclament certains dépliants de l'office du tourisme sénégalais (bureau de New York). Un retour aux sources bien compréhensible pour 25 millions d'Afro-Américains assoiffés de terroir primordial. Perruques, Coca-Cola, dollars, paternalisme et idéalisation des retrouvailles, au pays de la *dolce vita* fauchée et du tranquille équilibre.

« Revit Gorée toujours » (devise du blason de l'île)

La dernière mort de Gorée sera certainement fellinienne, quand, désertée de ses habitants actuels, elle ne montrera plus qu'un vieux visage fané, maquillé et peinturluré par le récent « Projet de restauration et de rénovation ». La valse des études n'a cessé de s'accélérer depuis que Jacques Couelle (1968) donna les premières mesures, grandioses, avec son colossal gruyère pour *high-society* troglodyte, surplombant la mer et un petit bourg saintongeais du XVIIIᵉ proprement ravalé.

Gorée si vivante, bientôt figée dans sa dernière métamorphose : île de musées (déjà trois), de fondations (Chevalier-de-l'ordre de Malte, Léopold-Sédar-Senghor, Civilisations-de-la Diaspora...), d'écoles pour jeunes filles de bonnes familles (comme celle de l'ordre du Lion : Légion d'honneur sénégalaise), de palais-hôtels à arcades pour tourisme sophistiqué et de riches demeures de week-end trop bien restaurées. Sans oublier la proche irruption d'une population de science-fiction avec la création de l' « université des mutants ». C'est ici que seront forgés les prototypes de l'*homme universel* fécondé par le *dialogue des cultures*. Espérons que mutants, « Tropéziens » et jeunes filles modèles feront bon ménage. Quant aux Goréens de souche et de cœur, Mame Coumba Castel, génie protecteur de l'île, semble bien les avoir abandonnés depuis qu'ils ne lui versent plus sa calebasse de lait dans la mer... et Gorée désenchantée, ravalée mais assassinée, ne sera-t-elle plus qu'une île-tombeau, sanctuaire du bronzing et de la négritude ? Un grand vide de rires et de vie dès le départ de la dernière chaloupe.

Quelques bribes de souvenirs pour ne pas finir sur une si grande nostalgie, quelques images et quelques figures de l'île. Et tout d'abord cette indéfinissable musique de Gorée, ce calme inspiré, traversé de signaux sonores familiers : sirène de la chaloupe qui vire la bouée d'accostage, appel de la mosquée, sonnerie des cloches, enfants... De temps en temps, c'est un peu Clochemerle ou le petit monde de Don Camillo, avec la nouvelle sonorisation de la mosquée (ampli haute fidélité offert par l'Arabie Saoudite) rivalisant avec les vieilles cloches de l'église Saint-Charles. Symbole de la perte d'influence des vieilles familles catholiques face aux récentes migrations des Toucouleurs du Fleuve.

Les arrivées de la chaloupe nourricière sont les véritables événements de la journée et rythment l'activité de l'île. A midi et demi et à 7 heures du soir, on va accueillir parents, amis et tous ceux qui reviennent de Dakar, chargés de provisions et de nouvelles.

Le charme de Gorée, c'est aussi ses couleurs fanées, tous ces vieux ocres et ces petites rues de sable, cette mer et ces balcons de bois peint ; les toits de tuile et le noir basalte des falaises du Castel. Dans *Adèle H* (Truffaut, 1975), Isabelle Adjani passe et repasse devant ces façades de chaux lépreuses si pleines d'histoires et de messages. C'est « Tante Louise », doyenne de l'île et calme présence du petit jardin du presbytère, qui joue avec tendresse le rôle de celle qui recueille la malheureuse fille de Victor Hugo.

Ici, j'ai connu Alphadio, peintre naïf (?) et malin, condamné à cinq ans de prison (dans l'ancien fort d'Estrées) pour avoir reproduit un billet de 5 000 francs CFA sur un de ses tableaux : Accusé (selon ses dires) de « trafic de faux billets ». Anecdote à l'image de ce prince du maquis dakarois, mylord du milieu et merveilleux ami. Quand il fut « déplacé » au camp pénal, il revenait tous les dimanches, accompagné d'un gardien dont il exigeait une tenue impeccable. « Je le paie », disait-il... Maintenant, les prisonniers sont partis, la prison doit être transformée en musée et les papiers dans les rues se disputent leur absence (ils étaient chargés de la voirie).

Autres peuplades en transit à Gorée, les « Russes », ceux des bateaux-usines qui, comme disent les Sénégalais, « pillent notre patrimoine halieutique ». Costauds, courtauds et coiffés de casquettes, groupés et plantés comme des pingouins sur l'unique petite plage, où ils ne s'allongent jamais, ils viennent avec leur propre chaloupe, ne dépensent pas un kopeck et repartent encore un peu plus rouges.

Gorée, c'est aussi Aïssatou, la petite vendeuse de cacahuètes, gracile, farouche et complice ; ou le regard grave d'une fillette peul. C'est enfin Henri de Clermont que l'on rencontre tanguant d'un bord à l'autre des petites rues de l'île, plongé dans d'interminables soliloques. Aristocrate, métis et philosophe, Henri a parfois des éclaircies fulgurantes, comme cette phrase à propos de l'alphabétisation en wolof : « Quant à moi, personnellement parlant, je conceptualise mieux en gréco-latin qu'en wolof. » Cela dit entre deux pastis avant de retomber dans une pensive léthargie. Il a une élégante façon de vous demander si, « en quelque sorte, Monsieur mon grand ami, c'est-à-dire mon cher camarade, étant donné que c'est dimanche, jour du Seigneur, vous n'auriez pas peut-être l'obligeance de bien vouloir quand même compléter les quelques piécettes encore insuffisantes pour m'offrir un petit peu de la liqueur convoitée »... Henri, mon ami, échoué un verre à la main entre deux civilisations.

Les Sénégaulois

Ils avaient des années durant
récité leurs ancêtres les Gaulois
et décliné la rose avec les roses
d'oreilles... *(L. S. Senghor)*

Avant la perruque et la casaque
Antes la peluca y la casaca, c'est le titre d'un poème de Pablo
Neruda sur la vie des Indiens d'Amérique du Sud avant
l'arrivée des envahisseurs blancs. Au Sénégal aussi, ce fut la
stupéfaction. Cette peau rosâtre ne laissait présager rien de
bon. En 1455, lors de son premier voyage, Alvise da Ca da
Mosto écrit : « Quelques-uns me touchaient la main et le bras
et me frottaient de salive, pour voir si ma blancheur était
teinture ou chair. » Et l'écrivain Amadou Hampaté Ba
raconte que, quand il était enfant, il crut longtemps que la
peau du Blanc qui rougit au soleil « s'embrasait comme une
braise », brûlait au contact et se détachait quand on la touchait
du doigt. Ces Blancs qui perdent leur peau ont longtemps ali-
menté toutes sortes de légendes et aujourd'hui encore, du côté
des collines de Bandafassi ou de Fongolimbi (Sénégal oriental),
nombreux sont les enfants qui s'enfuient en hurlant de terreur à notre vue, celle de leur premier Blanc (en wolof :
xonx nop, les oreilles rouges).

Pour beaucoup d'historiens, l'histoire de l'Afrique et du
Sénégal commence avec la conquête coloniale. Le reste se perd
dans la « stagnation des temps immémoriaux, plongés dans la
barbarie ». P. Gaxotte écrivait sans détour, dans *la Revue de
Paris*, en 1957 : « Ces peuples n'ont rien donné à l'humanité ;
et il faut que quelque chose en eux les en ait empêchés. Ils n'ont

rien produit, ni Euclide, ni Aristote, ni Galilée, ni Lavoisier, ni Pasteur. Leurs épopées n'ont été chantées par aucun Homère... »

« Quand un vieux meurt en Afrique, c'est une bibliothèque qui brûle »

Il est temps de décoloniser l'histoire et d'écouter un peu la grande voix de la tradition orale. Ce souffle fabuleux qui fait dire à Amadou Hampaté Ba : « Quand un vieux meurt en Afrique, c'est une bibliothèque qui brûle... » Message du passé transmis de bouche à oreille et de génération en génération.

L'Europe de Gaxotte a toujours fétichisé l'écriture, se confortant dans le dicton latin : *verba volent, scripta manent* (les paroles s'envolent, les écrits restent). Il est bien loin le temps de nos bardes et troubadours, des chansons de geste et des contes populaires. Pourtant, la parole est, plus que l'écriture, du côté de la vie. La tradition orale habille de chair et de couleurs. Elle explique le monde, situe l'histoire dans son contexte socioculturel et « irrigue de sang le squelette du passé ».

Bien sûr, cet « héritage des oreilles », enraciné au cœur des sociétés, n'a pas la rigueur de certains traités d'histoire. Les griots traditionalistes, qui chantent et se transmettent la chronique des temps anciens, sont avant tout attachés à une famille dont ils embellissent les hauts faits et masquent les défaites. Partialité, légende, trucage et anachronisme, mais aussi des archives vivantes et vibrantes qui complètent les études archéologiques ou ethnographiques.

C'est ainsi que beaucoup de points essentiels dans l'histoire ancienne des empires du Mali, surtout avant le XIIe siècle, ne peuvent être élucidés que par des versions recueillies auprès des griots de Keyla, archivistes de la famille royale des Keita.

Au Sénégal, en 1941, un lettré de Dagana, Amadou Wade, a dicté en wolof, en s'aidant de notes arabes, une chronique du royaume du Wâlo sur six cent soixante-neuf ans, avec la liste récitée à l'envers de 52 *brak* (roi) pour remonter jusqu'à la formation de l'ethnie wolof tout au début du XIIe siècle. On peut reconstituer, grâce aux griots, la chanson de geste des *damel* du Kayor, des *buur-ba* du Dyolof, des *buur* et des

« Ndété-Yalla, reine du Walo (Wolof) et son mari » (*Esquisses sénégalaises).*

gelowar du Sine, des *teeñ* du Baol, des *satigi* du Fouta... A travers ses princes, de grands pans de l'histoire du Sénégal.

Grands siècles des empires et des royaumes

L'histoire du Sénégal commence par se confondre avec celle des prestigieux empires ouest-africains du Xe au XIVe siècle : Ghana, Mali, Gao. Ceux dont les fastes ne peuvent qu'être esquissés en recourant aux anciens géographes arabes et aux intarissables traditions conservées dans les chants des griots.

Plutôt que de se livrer à des pantalonnades néo-napoléoniennes, Bokassa Ier aurait été mieux inspiré de reprendre le flambeau de Kankou Moussa, empereur *(mansa)* du Mali, qui entreprit en 1324 le pèlerinage à La Mecque avec l'intention évidente d'en imposer aux souverains arabes. Accompagné de milliers de serviteurs (soixante mille, nous dit le *Tarikh es-Soudan*), Kankou Moussa traverse le désert et apparaît en Égypte comme un seigneur d'Eldorado. Ses gens transportent près de deux tonnes d'or sous forme de cannes et de poudre, et le monde méditerranéen découvre les civilisations d'Afrique noire. Les largesses du *mansa* sont telles que le cours du métal jaune s'effondre pour dix ans. Le retour est moins glorieux. Après les folles dépenses, il faut emprunter. Les créanciers font partie de l'escorte du retour et, dans leur espoir de se faire rembourser une fois au Mali, se joignent aux lettrés, savants, architectes. Jusqu'à la découverte des Amériques, l'empire du Mali – qui s'étend de la boucle du Niger jusqu'aux côtes atlantiques du Sénégal – reste la principale source de ravitaillement en or du monde européen. Pantagruel et Panurge, ayant pris la mer à Honfleur, suivirent la route des Indes et ne manquèrent pas de faire escale au Sénégal. Le Sahara du Xe siècle, loin d'être un obstacle infranchissable, était une ouverture de la Méditerranée sur l'Afrique. Par les caravanes berbères et les routes commerciales des oasis, le Mali pouvait troquer son or, son ivoire et ses plumes d'autruches contre du sel de Mauritanie, de Teghaza ou de Taoudéni. Quelques esclaves raflés au hasard des razzias suivaient le même chemin. Quant au troisième partenaire, l'Européen, il n'intervenait qu'en fin ou en début de circuit avec ses cotonnades imprimées et sa verroterie vénitienne... Pas encore de « détérioration des termes de l'échange », ou si peu.

Les relations entre le Maroc et le « pays des Noirs » sont anciennes. Déjà, au XIVe siècle, le Mali avait envoyé une ambassade, puis de nombreux présents à la cour mérinide, dont une girafe. Son entrée à Marrakech fit sensation. Le sultan El Mansour avait pour mère une concubine noire, mais son attirance pour le Sud dépendait plus des mines d'or que d'un romantique retour aux sources de sa négritude... En 1551, à la suite d'un différend avec l'empereur *(askya)* de Gao il lance à travers le désert l'une des plus invraisemblables expéditions militaires de tous les temps. Plus étonnante encore que celle d'Hannibal franchissant les Alpes avec ses éléphants.

Le mirage de Tombouctou

Il fallut au total 135 jours à la lourde armada marocaine, partie de Marrakech, pour gagner le Niger, à travers 2 000 km de sable et de caillasses. Le corps expéditionnaire était formé de 4 000 hommes aux deux tiers andalous avec 1 000 chevaux

Mohamed Diop,
ancien roi de Dakar.

et 8 000 chameaux, porteurs de vivres et de petits canons. A
sa tête, le jeune pacha Djoûder, Espagnol de Grenade converti
à l'islam et l'un des favoris du sultan. Devant Gao, plus de la
moitié des Marocains étaient morts de soif et d'épuisement,
mais la supériorité de leur mousqueterie donne la victoire
aux survivants. Djoûder s'installe à Tombouctou, l'or et les
esclaves affluent à Marrakech, et le sultan, alors l'un des plus
riches souverains du monde, se voit surnommé *al-Dahâbi*,
le Doré.

La plupart des villes du Mali, Djenné, Tombouctou,
Walata, Gao, n'étaient pas seulement des centres commerciaux
florissants, mais aussi des hauts lieux de contacts culturels
entre le monde islamique et le monde noir. Il existait des universités de renom, comme celle de Sankoré à Tombouctou, et
les écrivains du Maghreb, sur les traces des marchands, fran-
chissaient le désert pour y donner des cours ou suivre ceux de
leurs collègues. Heureux temps de la tolérance raciale et religieuse où, des Pyrénées au Sénégal, cohabitaient musulmans,
chrétiens, juifs, animistes et toutes les gammes de couleurs
de peaux. C'était, avant la lettre, ce fameux dialogue des

cultures, si cher au président Senghor qui recommande de « cultiver son génie créateur en assimilant les valeurs fécondantes de l'extérieur ». Il évoque par ailleurs les quatre piliers de la civilisation sénégalaise : *joom* (honneur), *muñ* (tolérance), *kersa* (mesure) et *teranga* (hospitalité). Au Sénégal, en 1980, les ethnies et les religions se tolèrent, s'allient, se mêlent. Peu de symptômes de fanatisme, à part les récentes menaces proférées par certains émules de l'ayatollah Khomeiny, prônant l'instauration au Sénégal d'une nouvelle République islamique (ultimatum d'un chef religieux à Senghor, *le Figaro*, septembre 1979).

Suñugal

Le nom du Sénégal vient probablement des tribus berbères, les Sanhadja (dénommés *Azanaga* par les Portugais), qui occupaient la Mauritanie et faisaient de fréquentes incursions dans la région du Fleuve. L'étymologie la plus poétique reste pourtant celle des Wolofs : *suñugal* signifie « notre pirogue » et symboliserait l'avenir. Tous sur un même bateau et Senghor à la barre. On raconte qu'elle serait due à la naïveté d'un cartographe s'adressant à des pêcheurs pour leur demander le nom du fleuve qui coulait derrière eux. Ils se retournèrent, virent leur pirogue échouée sur la rive et répondirent : « Mais c'est notre pirogue » *(li suñu gal lë)*.

Au début du XIIᵉ siècle, la puissance almoravide s'étendait sur un empire eurafricain compris entre l'Èbre et les abords du fleuve Sénégal. Quant au légendaire Ndyadyan Ndiaye (1180-1202), créateur de l'empire du Dyolof, il serait un descendant d'Abû Bakr ben Omar, chef almoravide marié à une princesse toucouleur (terme qui vient du mot *takruur* et non de l'anglais *two colours*, deux couleurs). La tradition orale rapporte que, désespéré par le second mariage de sa mère avec un ancien esclave, il se serait jeté dans les eaux du Fleuve. Il en sortit un jour pour départager de jeunes pêcheurs qui se disputaient leurs prises. Son mutisme, ses longs cheveux, son autorité et son existence aquatique étonnèrent tant qu'il fut tout d'abord pris pour un djinn, puis reconnu comme celui que le destin avait désigné pour réaliser l'unité du pays wolof.

Le Dyolof, comme les petits royaumes qui vivent sous sa tutelle, a une structure sociale très stricte. Une sorte de pyramide dont la large base s'appuie sur la masse des esclaves et des captifs *(jaam)* parmi lesquels se recruteront les guerriers *(cedo)*. Puis viennent les artisans et les gens de castes *(ñeño)*, souvent des étrangers, eux-mêmes cloisonnés selon leurs spécialités (fer, bois, cuir et fil). Les griots *(gewel)*, voix du peuple et flagorneurs des puissants, forment une caste tout à fait à part. Quant aux hommes libres *(gor* ou *jambur)*, paysans pour la plupart, ce sont eux qui constituent le corps de la pyramide. Enfin, au sommet, l'ensemble est coiffé par l'aristocratie *(garmi)* et le roi *(buur)*. Des castes et des cloisonnements qui restent encore bien tenaces dans le Sénégal contemporain, à travers les nouvelles hiérarchies des affaires ou de l'administration.

Les plus remuants dans cet échafaudage étaient alors les *cedo*, ces esclaves guerriers, fiers et indépendants, qui écumèrent les campagnes sénégalaises jusqu'à la fin du XIXe siècle. Certains rois étaient de véritables pantins entre leurs mains.

Cedo, cavaliers du diable

Comme les gauchos d'Argentine, les cow-boys du Far-West ou les preux chevaliers du Moyen Age, les *cedo* font partie de la mythologie populaire. Leurs cavalcades résonnent encore dans toutes les mémoires. Ces « captifs de la couronne », sans peur mais non sans reproches, appartenaient au roi, autant que le roi leur appartenait. Ils pouvaient même épouser ses filles. Esclaves et fils d'esclaves, ils étaient plus puissants que les hommes libres et terrorisaient par leurs razzias les malheureux paysans, taillables et corvéables à merci. C'est contre eux que les marabouts purent se présenter comme les défenseurs des opprimés et faire progresser l'islam. Véritable armée, irrégulière et redoutable, les *cedo* ont laissé la réputation de grands ivrognes et de pillards incorrigibles. Les cheveux tressés, portant des boucles d'oreilles et bardés de gris-gris, de colliers et de bracelets d'argent, ils n'en semaient pas moins l'épouvante sur leur passage. Chevauchées, beuveries, ripailles, troussages, palabres et pillages formaient leur emploi du temps quotidien. Sorte de samouraïs sans foi ni loi, ils étaient aussi d'une folle bravoure. Mollien raconte qu'au cours d'une bataille entre le Kayor et le Baol, chaque guerrier pour « se mettre dans l'impossibilité de chercher son salut dans la fuite, remplit ses culottes bouffantes de sable et, accablé par le poids d'un tel fardeau, se met à genoux et se dispose à tirer ».

Chez les jeunes Sénégalais d'aujourd'hui, le *cedo* reste le modèle suprême. Synonyme de guerrier, de *gaynde* (lion), de tombeur, le *cedo* se confond dans leur panthéon avec Django ou Sartana, « celui qui tire le premier » et boit du whisky dans les westerns-spaghetti. *Ceddo*, avec deux *d*, c'est aussi le titre du dernier film de Sembène Ousmane, qui sommeille dans les tiroirs de la censure pour une sombre histoire phonético-politique de consonnes géminées, le gouvernement exigeant que *ceddo* s'écrive *cedo*. « Dois-je céder, écrit Sembène dans une récente lettre ouverte, ôter un *d* qui me délivre [...] pour vivre à genoux ? » En vrai *cedo*, il ne cédera pas. Mais nous n'en sommes pas encore à la grande polémique contemporaine sur la scolarisation en « langues nationales ».

A la fin du XVIe siècle, alors que vacillait l'empire du Dyolof, les troubles étaient d'un autre ordre. La *linger*, mère ou sœur utérine du roi, évoluait au cœur des intrigues et usait de toute son influence à la cour, telle Koumba Ngonindiaye, mère de deux rois successifs, ou Yacine Boubou, véritable Iphigénie sénégalaise, prête à se sacrifier pour que son mari soit roi du Kayor. Certaines *linger* n'hésitaient pas à marcher au combat, comme cette fille de Lat Soukaabê (1697-1719) qui, habillée en homme, se lança à cheval contre les Maures trârza et les battit à Ngram-gram.

Si l'on en croit les premiers voyageurs portugais débarqués en 1550, les rois du Kayor, du Wâlo, du Baol et du Sine s'étaient affranchis de la suzeraineté du Dyolof dès le XVIe siècle, tout en lui reconnaissant un certain droit d'arbitrage dans leurs démêlés qui étaient nombreux. Plus au sud, les Sérères avaient constitué de petites principautés vassales des deux grands royaumes du Sine et du Saloum, eux-mêmes dominés par une aristocratie malinké venue du Mali (les *gelwar*). Ces royaumes sérères sont à leur tour grignotés par l'islam, surtout dans la région du Rip. Vers 1850, le programme du marabout toucouleur Ma Bâ était de « protéger

Mandingue, Thiedo,
Toucouleurs, Sérère,
Bambara (*Esquisses sénégalaises*,
Abbé Boilat, 1853).

les cultivateurs, substituer la justice aux exactions des *cedo*, imposer l'islam à toute la Sénégambie ».

Les grands résistants

L'image d'une Afrique livrée à l'anarchie, l'ignorance, la misère et la sauvagerie la plus sanguinaire fut entretenue par les hardis colonisateurs. Ils pouvaient alors se présenter comme des pacificateurs au grand cœur, ceux qui apportaient le message de la civilisation et du progrès. Avec le démantèlement des royaumes, le début de la traite des Noirs achève de déstabiliser la région. Les principautés voisines de la côte se trouvent devant cette alternative : devenir complices des négriers et obtenir des armes, ou rester en dehors du circuit et devenir la proie de leurs voisins esclavagistes bien pourvus en armes à feu européennes.

Les Sénégaulois

Dans ce tourbillon de luttes intestines, de rivalités de palais, de razzias, de guerres saintes et de dynasties déchues vont bientôt apparaître, face à la pénétration coloniale, certains Vercingétorix sénégalais. En feuilletant les *Commentaires de la guerre des Gaules* de César, on est tout de suite frappé par les correspondances de l'histoire : une mosaïque de petits royaumes, aussi peu enclins à s'unir contre le nouvel envahisseur que les anarchiques Gaulois face aux légions romaines. Pourtant, autour de héros de légende comme El Hadj Omar, Ma Bâ, Lat Dyor, Mamadou Lamine, al-Boury, Djinabo ou Alinsitouë, l'ébauche d'un sentiment national se fait jour. Nationalismes isolés, maladroits, ambigus, arrivant à la fois trop tard pour revaloriser des structures traditionnelles bousculées par l'islam et trop tôt pour les grands mouvements d'émancipation africaine. Tour à tour collaborateurs et grands résistants, guerroyant entre eux sans relâche, nombreux sont ceux qui, comme Samori ou Fodé Kaba, laissèrent des impressions mitigées dans la tradition populaire.

Le songe de Lat Dyor

Pour Lat Dyor Ngoné Latir Diop (1842-1886), l'ennemi c'est le chemin de fer. *Damel* du Kayor en 1862, il va poursuivre

« Lat Dyor culbutant les colons » (collage de l'agent de police Bella Seck).

tout au long de sa vie une ardente « bataille du rail ». A cette époque, les voies ferrées poussaient un peu partout en Afrique, perpendiculaires à la côte, « comme les tentacules d'une pieuvre énorme et invisible », dans le but d'écouler les produits de l'intérieur jusqu'à la mer. Lat Dyor écrit au gouverneur, en 1877 : « Vous cherchez à établir un chemin de fer, comme un bateau à vapeur sur la terre ferme : c'est aussi impossible que de faire entrer une case dans une autre [...]. Soyez bien persuadé que si, aujourd'hui, vous établissez un chemin de fer en plaçant de distance en distance des postes pour le commerce, vous m'enlevez mon pays et me dépouillez de tout ce que je possède. Un ami ne doit pas faire cela sur les terres de son ami. » Pourtant, le 10 septembre 1879, Lat Dyor accepte le chemin de fer en signant un traité qu'il garde secret... Mais il reprend le combat dès 1881 contre la Société des Batignolles chargée des travaux : « Jamais je n'accepterai [...]. Votre navire ne trouvera que des chacals et des hyènes car nous abandonnerons le Kayor. »

Inaugurée en juillet 1885, cette première voie ferrée de l'Ouest africain n'avait que des trains roulant à 20 km/h.

Mais Lat Dyor avait bien compris que ce nouvel ennemi symbolisait la fin des *damel* et le glas de l'indépendance du Kayor. Il sera vaincu par le télégraphe, l'artillerie, le chemin de fer et le commerce colonial.

La « chanson de Lat Dyor » associe trois animaux symboliques à ce combat inégal et anachronique :

– « Après ma mort, ce sera certainement une souris qui m'apprendra sous terre l'installation des rails. »

– « Cette nuit, j'ai fait un rêve. J'ai vu un chien noir qui partait de la mer de l'Est (Saint-Louis) et allait vers la mer de l'Ouest (Dakar). Le lendemain, il est revenu. » Ce songe l'obsédait et il y voyait le présage du train maudit.

– Enfin, tout le monde, au Kayor, connaît l'histoire de Malaw, le cheval favori du *damel*, qui mourut en voyant le chemin de fer pour la première fois. Une complainte populaire est encore chantée à la radio : *Malaw du jegi ray bi* (Malaw ne traversera pas les rails).

Lat Dyor aimait à dire : « Je veux vivre libre, digne et généreux. » Cet homme de petite taille mais fier, tenace et courageux, savait faire manœuvrer ses quelques milliers de *cedo* pour tendre des embuscades et surgir à l'improviste. Il s'était fixé comme règle l'adage wolof *gan du tabax* (l'étranger ne construit pas), ce ne doit être qu'un commerçant de passage. Élevé dans un milieu animiste, comme toute l'aristocratie du Kayor, il vendit son âme au marabout Ma Bâ Diakhou en 1864... pour raison d'État.

On ne parle pas assez de Demba War Sall, ce chef des captifs de la couronne, véritable double de Lat Dyor, celui qui l'a « inventé », imposé comme *damel* en 1862 et qui entraîna sa chute à Dekhlé. Sorte de Richelieu, entouré de ses *cedo*-mousquetaires, il accusa son maître de ne le « récompenser que par l'ingratitude ». Au cours du dernier combat, la tradition rapporte que Demba War cria à Lat Dyor d'ôter le gri-gri qu'il portait au cou et qui le rendait invulnérable *(tul)*. Lat Dyor enleva son talisman et fut tué par une balle en or, spécialement fondue pour la circonstance, qui seule pouvait le transpercer.

La chanson de Lat Dyor baigne encore dans une ambiance de souvenirs et d'interdits animistes – jusqu'à l'emplacement de sa tombe, gardé secret par Demba War et ses descendants. Une pièce de théâtre d'Amadou Cissé Dia, président de l'Assemblée nationale, *les Derniers Jours de Lat Dyor*, fait vibrer le théâtre Daniel-Sorano depuis 1966.

L'exil d'al-Boury

Autre tête d'affiche du théâtre national, al-Boury Ndiaye, dernier roi indépendant du Dyolof, cousin éloigné de Lat Dyor et comme lui converti à l'islam par Ma Bâ (1864), a laissé le souvenir d'un héros de légende. Dans sa capitale fortifiée de Yang-Yang, il menait un train de vie royal entouré par ses griots, ses guerriers et même quelques marabouts qui se faisaient peu d'illusions sur son orthodoxie, tant il alternait ascétisme et fêtes orgiaques. Au petit jour, les deux griots en chef venaient battre le réveil en criant : *Fareeeeey! daan, jël!* (tu domptes et tu prends!) De quoi se lever d'un pied martial. Quand ce colosse s'était apprêté pour un combat, bardé de gris-gris et de munitions, portant plusieurs fusils chargés en bandoulière et à la main, le poignard à la hauteur de la poitrine, il était nécessaire de recourir à deux gaillards pour l'aider à se redresser en glissant une perche sous ses aisselles. Il fallait aussi enlever les palissades de la case, car al-Boury ne pouvait passer par la porte. Sa devise était celle des Ndiaye : *bu dee jote* (« le jour de la mort est celui du sacrifice » ; autrement dit : mieux vaut mourir que fuir).

Tout d'abord allié des Français contre Amadou Sékou (1875), il s'engage même à faciliter la construction du chemin de fer jusqu'à Bakel et à faire élever son fils aîné à Saint-Louis par la France... Mais déjà il prenait contact avec le sultan Amadou, fils d'El Hadj Omar. Jusqu'à sa mort, « l'homme au cœur de lion » va guerroyer contre les colonnes françaises, chargeant à la tête de ses cavaliers en criant : « N'ayez pas peur, ce sont des ânes! » et essayant de se tailler un royaume toujours plus à l'est, à travers une invraisemblable odyssée de deux mille cinq cents kilomètres. Il mourut au Niger (Dosso, 1902), abandonné de tous, mais, du Sénégal au Tchad, l'Afrique noire chante la geste d'al-Boury, la chanson de l'indomptable roi du Dyolof.

CARTE
GENERALE
DU
SENEGAL
Corrigée, et Augmentée
de plusieurs détails par M. Adanson
correspondant de l'Acad.ᵉ R.ᵉ des Sc.
Dressée et executée par les soins
de Philippe Buache
1756.

Lieues marines de France.

Lieues communes de France.

Djinabo de Séléki

La brève et étrange histoire du Diola Djinabo Badji, dit *Bigolo* (l'Éléphant), c'est déjà toute celle de la Casamance (sud du Sénégal), avec ses fétiches, ses bras de mer, ses mystères et ses bois sacrés. Les Diolas forment une société anarchique, au sens noble du terme, où le pouvoir dépend pour chaque village d'une démocratique assemblée de notables. Les décisions concernant la communauté sont prises à l'unanimité des chefs de famille. Ici, ni États ni royaumes. Responsable des *bëkin* (fétiches) du village de Séléki et réputé invulnérable, Djinabo est l'âme de la résistance à toute incursion étrangère. Le 17 mai 1906, il donne l'assaut à une colonne française, commandée par le capitaine Lauqué, qui bivouaque près d'une des grandes mares du village. Lieu inspiré et action confuse au cours de laquelle Djinabo est tué par la sentinelle Domingo Gomis. C'est alors que sa légende prend naissance. Après de grandioses funérailles *(ñukul)*, le conseil des notables décide d'exiler et de cacher le jeune fils de Djinabo dans l'île d'Éloubaline, près du marigot de Kamobeul. Il fallait éviter à tout prix que ce dernier soit capturé et envoyé comme otage à l' « École des fils de chefs » de Saint-Louis.

Aujourd'hui, Éloubaline, où tout le monde s'appelle Bassène, reste un village mystérieusement retranché en plein cœur des palétuviers, avec ses grandes cases à impluvium et ses quelques rôniers sentinelles. A Ziguinchor, capitale de la Casamance, le nom de Djinabo orne le fronton du lycée.

Les quatre communes

L'intarissable Lamine Guèye, longtemps président de l'Assemblée nationale sénégalaise, racontait qu'en 1958, juste avant l'indépendance, il eut un entretien avec le général de Gaulle qui venait de faire sa rentrée aux affaires. Un entretien familier au cours duquel le général s'abandonna même à quelque ironie condescendante : « Voyons, Lamine Guèye, vous êtes aussi bon Français que moi... » La réaction du député de Saint-Louis fut immédiate : « De plus ancienne date en tout cas, car moi je le suis depuis Louis XIII [fondation de Saint-Louis], tandis que vous, mon général, qui êtes né à Lille, vous ne l'êtes que depuis la paix des Flandres (1678). » Une anecdote bien révélatrice de cette complicité historique qui existe entre Sénégalais et Français depuis le temps des signares et des mariages « à la mode du pays ». Elle explique en partie l'invraisemblable ambiance d'amour-haine dans laquelle baignent les élites contemporaines. Un mélange détonant fait tout à la fois d'agacement contre l'ancien modèle et ses champions actuels (experts, coopérants) et d'une certaine nostalgie des jeunes années passées au quartier Latin dans les petits cafés autour de la Sorbonne. C'est d'ailleurs chez ceux qui sont restés le plus de temps en France que les tensions sont les plus fortes, l'effet d'imitation le disputant sans cesse à la recherche d'identité. Débat bien étranger au petit peuple des médinas ou de la brousse qui vit pleinement sa différence et sa « négritude » sans avoir besoin d'en parler. Les grands événements qui touchent l'ancienne métropole (élections ou matchs de football) sont suivis avec autant d'intensité à Dakar qu'à Paris, et lorsqu'un Sénégalais rencontre un Français à l'étranger, ce sont toujours de chaleureuses retrouvailles entre compatriotes. « Quand deux peuples, tels les peuples français et sénégalais, ont partagé leur destin dans les jours de malheur comme de joie et, pendant trois siècles, qu'ils ont eu à se combattre et à s'aimer, il est naturel que s'établissent entre eux des relations de famille... » (L. S. Senghor.)

Déjà, le 15 avril 1789, s'exprimaient les « très humbles doléances et remontrances des habitants du Sénégal au peuple français tenant ses États généraux ». En 1871, Saint-Louis, Gorée et Dakar, puis en 1880 Rufisque, sont érigées en communes de plein exercice, dont les « habitants noirs », désignés sous le nom d' « originaires », accèdent tous au statut de citoyen français. Ils ont des droits politiques qui leur permettent d'envoyer un député au parlement français, mais de nombreux musulmans refusent ce statut pour échapper au Code civil, souvent en opposition avec les règles de l'islam. A l'extérieur des *quatre communes*, les autres Sénégalais restent soumis, sous le nom de « sujets », aux règles coutumières et au « régime de l'indigénat » qui les met sous la coupe du commandant de cercle : impôts, travail forcé, laissez-passer pour circuler d'un village à l'autre... Pour un « sujet », ne pas saluer un Européen pouvait entraîner un emprisonnement de six mois. Bientôt apparaît le but final de la politique coloniale française : l'assimilation. Il s'agit de transformer par étapes les Sénégalais en citoyens français et de se fabriquer des auxiliaires. Dans le cadre de cette politique (contre laquelle L. S. Senghor lancera sa très belle formule « Assimiler, non être assimilé »), les autorités françaises multiplient les écoles de brousse et, dès 1910, créent un premier lycée à Saint-Louis. L'École normale de Gorée recevra des pensionnaires de tous les territoires français d'Afrique noire et sera la pépinière d'une élite assimilée. Cette école, bientôt transférée à Sébikotane, fut celle de nombreux dirigeants actuels d'Afrique francophone dont Houphouët-Boigny, l'actuel président de la Côte-d'Ivoire.

Les grands ténors de la politique

La parole est à M. Blaise Diagne... La scène politique sénégalaise fut longtemps dominée par l'aristocratie métis de Saint-Louis (ceux que l'on appelait « les Grands Hommes ») et c'est un coup de tonnerre quand, en 1914, le Goréen (noir, de surcroît) Blaise Diagne enlève le siège de député à François Carpot qui le détenait depuis 1902. Tout au long de sa fulgurante campagne politique, Blaise Diagne présente deux volets contradictoires : apparaître aux yeux de ses compatriotes, et surtout des Lébous du Cap-Vert, comme un Sénégalais authentique, mais « sachant parler et agir comme un Blanc » et, par conséquent, capable de les représenter au Parlement. Il veut se faire élire « bien qu'étant un des leurs », parce que les Antilles « ne se sont pas déshonorées en envoyant deux Nègres à la Chambre ». Développant le thème de l'égalité des races, il parle le wolof comme ses auditeurs et peut se dire « fils d'un cuisinier nègre et d'une pileuse de mil ». Fier de son instruction française et de ses années de service outre-mer dans l'administration, ce franc-maçon est au nombre des personnages complexes dont l'histoire du Sénégal est truffée : considéré par certains comme un grand défenseur des intérêts du Sénégal, condamné par d'autres comme le plus assimilé des harkis politiques. Ses détracteurs de l'époque le trouvaient déjà trop blanc ou trop noir, et il avait l'habitude de répondre à ceux qui l'accusaient de favoritisme : « Je suis noir, ma

Photo de famille en 1913.

femme est blanche, mes enfants métis, quelle meilleure garantie de mon intérêt à représenter toute la population ? » La politique sénégalaise a de troublantes continuités : « Encore une fois au Sénégal, chacun a ses Français et sa Française à l'occasion. Ma femme est française, la femme de mon principal adversaire politique, Me Wade, est française, la femme du secrétaire général du prétendu RND est française... » (Senghor, 1978.)

A l'heure actuelle, il est surtout reproché à Blaise Diagne de s'être chargé du recrutement des troupes noires destinées au front européen durant la Première Guerre mondiale – 200 000 hommes qui, selon les critiques, ont servi de chair à canon au colonisateur. Bien qu'accusé par les jeunes historiens sénégalais d'avoir collaboré et vendu les siens, Blaise Diagne a toujours soutenu que son intention était d'obtenir, par le biais des obligations militaires, « l'accès pour ses frères sénégalais à des droits politiques de plus en plus étendus... efforts communs, sacrifices communs, destinée commune ». Pour la petite histoire, ce fut lui qui prit, à la tribune de la Chambre des députés, la défense du boxeur sénégalais

Blaise Diagne : campagne politique en 1914.

Battling Siki, injustement disqualifié lors de son match contre Carpentier, l'idole des années vingt : « Je voudrais, dit-il, que la justice soit une et qu'elle n'ait point de couleur... parce que les deux hommes en cause sont également deux Français, parce que ces deux hommes se sont également battus pour la France. »

Un buste de Blaise Diagne, au détour d'une petite place de l'île, entretient le souvenir du célèbre député goréen, qui fut aussi sous-secrétaire d'État aux Colonies du gouvernement Clemenceau. L'on rencontre de temps en temps, dans la chaloupe ou sur le quai, quelques-uns de ses descendants, bien reconnaissables à leur « style Blaise Diagne », chapeau de feutre, cravate et veston à la Bogart.

Avec Lamine Guèye (1891-1968), on entre de plain-pied dans l'histoire du Sénégal contemporain. Ami de Léon Blum et des socialistes français, il constitue dès 1930 la première section SFIO au Sénégal. A partir de 1945, il siège à l'Assemblée nationale française au côté de Senghor. Léon Blum le fait entrer dans son deuxième cabinet comme sous-secrétaire d'État à la présidence du Conseil et aux Affaires étrangères.

Il donne alors son nom à la fameuse loi de 1946 qui reconnaît la qualité de *citoyens français* à tous les ressortissants des territoires d'outre-mer (Algérie comprise) sans discrimination entre « originaires » et « sujets ». On a peine à imaginer aujourd'hui le retentissement de cette loi et la houle que répandit la nouvelle jusqu'aux confins du Congo. En dehors des quatre communes, c'est l'euphorie : les manœuvres qui peinaient sur les chantiers de travail forcé désertent aussitôt : ils sont « citoyens »! Joie et contestation soulèvent la brousse. Quant à Lamine Guèye, il voit sa popularité grimper en flèche pendant que de nouveaux fidèles « laministes » adhèrent à la SFIO. Longtemps doyen des hommes politiques du Sénégal, ce Saint-Louisien de souche et de cœur perdra sa dernière bataille politique lors du transfert de la capitale à Dakar (1956).

Déjà une autre étoile s'est levée, celle du poète Léopold Sédar Senghor, sérère et catholique dans un pays à majorité wolof et à 85 % musulman. Premier agrégé africain, condisciple de Pompidou sur les bancs du lycée Louis-le-Grand à Paris, professeur de français à Tours puis à Saint-Maur et chantre de la

En « khâgne » au lycée Louis-le-Grand (1931), avec Pham Dui Kiên et Georges Pompidou au premier plan.

négritude, il s'efforce d'effacer des esprits l'image paternaliste du Nègre bon enfant : « Je déchirerai les rires Banania sur tous les murs de France... » la négritude se présente comme un combat, un « racisme antiraciste ». Elle met en relief les valeurs des civilisations du monde noir : don d'émotion, rythme, chaleur humaine, mysticisme, art symbolique, esprit communial... Toute cette manière de « vivre et d'agir en Nègre » dont il fallait restaurer la dignité. Dès 1934, Senghor fonde à Paris, avec Damas et Césaire, la revue *l'Étudiant noir* qui sonne le réveil des consciences et exhibe les différences après le laminage colonial. En octobre 1948, il démissionne de la SFIO, « dont le seul but au Sénégal est d'asseoir le pouvoir personnel de Lamine Guèye qui ne défend [en France] que ses intérêts électoraux sans se soucier des territoires africains ». Il souhaite un socialisme aux couleurs de l'Afrique et fonde un nouveau parti autonome, le BDS (Bloc démocratique sénégalais) qui, à la surprise générale, triomphe aux élections du 17 juin 1951.

Avec Senghor, qui fit surtout campagne en brousse, sillonnant le pays dans un déploiement de verts étendards, c'est une entrée fracassante du monde paysan sur la scène politique. Les villageois l'adoptent tout de suite comme un des leurs, contre le bourgeois Lamine Guèye, produit de la ville et des « quatre communes ».

Sa politique sera toujours de rechercher une troisième voie (le socialisme africain) entre l' « individualisme démocratique » du capitalisme et le « grégarisme totalitaire » du communisme. Il faut, dit-il, « après Mao Tsé-toung et Nehru, penser et agir par nous-mêmes et pour nous-mêmes; en Nègres... accéder à la modernité sans piétiner notre authenticité ».

Avant et après l'indépendance, quelques dates clefs

1956 : la loi-cadre Deferre donne le départ du morcellement de l'Afrique occidentale française en huit États indépendants. Au Palais-Bourbon, Senghor parle de balkanisation. Il aurait souhaité la constitution d'une sorte de « Commonwealth à la française ».

L'indépendance du Ghana (ex-Gold Coast), le 6 mars 1957, fait rêver les hommes politiques africains. En France, le courant « cartiériste » commence à faire basculer les derniers nostalgiques de l'empire. Avec des slogans chocs comme « plutôt la Corrèze que le Zambèze », Raymond Cartier, journaliste à *Paris-Match*, a su toucher la sensibilité financière des Français après leur fibre chauvine. Les colonies, prétend-il, coûtent trop cher aux contribuables...

Le 26 août 1958, quand le général de Gaulle, de retour de Guinée, débarque à l'aéroport de Yoff, il est encore exaspéré par le discours de Sékou Touré (« Nous préférons la pauvreté

Le couple présidentiel.

Avec de Gaulle
en 1964.

dans la liberté à la richesse dans l'esclavage »). Senghor s'est éclipsé en Normandie « où l'appellent des affaires de famille urgentes » et Mamadou Dia s'est envolé pour la Suisse chez son oculiste. Aux porteurs de pancartes venus l'accueillir, de Gaulle lance : « Et si, le 28 septembre, vous voulez l'indépendance, prenez-la ! » Mais, au Sénégal, on préfère toujours éviter le drame et « dialoguer » (c'est le grand art du *disoo* et du *waxtan*). Senghor et Dia sont pour le oui au référendum et souhaitent accéder à l'autonomie interne tout en demeurant dans la communauté française. Lors du référendum du 28 septembre 1958, tous les territoires de l'ancienne AOF (sauf la Guinée – la brouille durera vingt ans) acceptent le statut d'États-membres d'une Communauté où ils restent solidaires de la France pour la politique étrangère, la défense, les finances, l'économie, l'enseignement supérieur et les télécommunications. Au Sénégal : 870 000 oui et 21 000 non. Dès le 25 novembre, le Sénégal devient une République. L. S. Senghor déclare : « La Communauté n'est pour nous qu'un passage et un moyen, notamment celui de nous préparer à l'indépendance à la manière des territoires sous dépendance britannique. »

18 décembre 1959 : retour du général de Gaulle. L'Assemblée fédérale du Mali reçoit le président de la Communauté. Senghor termine son discours en se tournant vers de Gaulle : « En ce moment même où nous réclamons l'indépendance, nous vous le demandons, restez avec nous car il se fait tard. » Ces paroles bibliques émeuvent le général qui confirme son accord pour l'indépendance de la Fédération du Mali regroupant le Sénégal et le Soudan.

Le Sénégal traversera par la suite des moments difficiles : éclatement de la Fédération du Mali, en 1960, puis, deux ans plus tard, une crise politique qui entraînera l'arrestation du président du Conseil, Mamadou Dia. Mais chaque fois, on préfère le dialogue à l'affrontement et l'armée évite de faire couler le sang. Ce sens de la mesure et de la palabre demeure une des constantes de la politique nationale. Tout comme dans les séances de luttes traditionnelles, on attache une grande importance aux préliminaires et aux joutes verbales : se défier longuement avant d'en venir aux mains.

Après moi, la démocratie

En 1963, 1968 et 1973, Senghor est régulièrement réélu, avec plus de 99 % des voix, en tant que candidat unique d'un parti unique (UPS : Union progressiste sénégalaise, bientôt rebaptisée parti socialiste, PS). Mais, le 26 février 1978, les nouvelles élections législatives et présidentielles voient émerger deux partis d'opposition, le PDS (Parti démocratique sénégalais) de Me Abdoulaye Wade, et le PAI (Parti africain de l'indépendance) de Mahjemout Diop.

Un manifeste publié dans *le Monde* du 16 septembre 1977 dénonce « le tripartisme artificiel, arbitrairement articulé autour de trois courants de pensée et qui ne reflète pas la réalité politique sénégalaise ». Y figurent les signatures de professeurs, chercheurs, avocats, écrivains, et même celles de sept journalistes du *Soleil*, le quotidien national... Le Sénégal reste pourtant un des rares régimes du tiers monde qui accepte une réelle libéralisation de la vie publique. Pour éviter une agitation politique anarchique, ses dirigeants estiment que le mouvement de démocratisation doit être canalisé, dosé et progressif. D'ailleurs, au sein même du PS, nombreux sont ceux qui ne suivent le chef de l'État qu'en traînant les pieds, regrettant le confort du parti unique.

Plusieurs groupes d'opposition ne se reconnaissent dans aucun des partis officiels et sont maintenus à l'écart de la scène politique. C'est le cas du plus influent d'entre eux, dans les milieux universitaires d'extrême gauche : le RND (Rassemblement national démocratique), animé par le Pr Cheikh Anta Diop, de longue date rival de Senghor sur la scène intellectuelle africaine et auteur d'ouvrages célèbres sur *l'Antériorité des civilisations nègres*. De son côté, l'ancien président du Conseil, Mamadou Dia, libéré après onze ans de détention, se contente pour l'instant de diriger un journal d'opposition (très proche du courant RND) : *Andë Sopi* (« s'unir pour changer »). Pour lui, « dans cette prétendue ouverture démocratique, Senghor ne se soucie que de son image de marque » face aux partis socialistes européens. Le Mouvement républicain sénégalais (MRS) de l'ancien ministre Me Boubacar Guèye (neveu de Lamine Guèye), se propose, lui, d'exprimer « un courant de pensée politique dit de droite » qui ne veut pas

« socialiser la pauvreté » *(sic)*. Il vient d'obtenir son homologation et paraît avoir le vent en poupe depuis la victoire de l'ayatollah Khomeiny en Iran.

Une seule constante parmi tous ces partis et tendances, libéraux, nationalistes, socialistes ou même marxistes-léninistes : faire les yeux doux aux marabouts et se poser en ardents défenseurs des valeurs de l'islam. Mais ce recours aux sentiments religieux par les formations politiques risque fort de fausser le jeu démocratique.

Les élections de février 1978 se sont soldées par la victoire du PS et de L. S. Senghor (82 % des voix). En mai, le président Senghor réussit le tour de force de réunir l'Internationale socialiste à Dakar. C'est à la fois la caution de son ouverture démocratique et la consécration du PS sénégalais.

La palabre thérapeutique

« Une fois sur trois, quand la presse attaque l'administration sénégalaise, elle a raison et il faut que nous en fassions notre profit » (Senghor, 1977). La presse est un des éléments moteurs

Un exemplaire
du journal satirique
le Politicien.
Sous les cornes, l'actuel
Premier ministre
sénégalais.

du printemps démocratique sénégalais. A Dakar, presque tous les journaux de la planète entrent librement. De nombreux titres sont nés et ceux de l'opposition fleurissent sous les parasols des kiosques : *Andë Sopi, Taxaw* (« Debout »), porte-parole du RND qui fustige dans ses colonnes la mainmise des « étrangers » sur le pays, *Promotion*, qui s'intitule lui-même « bimensuel sérieux et objectif » et lève certains lièvres diaboliques, *Momsarew*, organe du PAI communiste, *le Politicien*, enfin, « bimensuel satirique indépendant irrégulier », qui est un peu le *Canard enchaîné* sénégalais. Tel juge se voit traiter d'Amin Dada local et *le Politicien* fait parfois des révélations gênantes. Aussi la parution de ce journal suscite-t-elle toujours quelque angoisse.

Il arrive que la presse d'opposition sénégalaise déconcerte par la virulence de ses articles dans ce pays de la tolérance. « Ras-le-bol du dialogue ! » titrait un jour l'un de ces journaux. Mais ces excès font partie d'une palabre thérapeutique proprement sénégalaise : il faut résoudre les conflits par le *waxtan*, détourner l'impétuosité dans le verbe, en débattre pour ne pas en découdre. Le président Senghor a d'ailleurs su faire rentrer dans le rang les opposants les plus farouches... en leur distribuant quelques postes ministériels. Mais la tension monte avec le grand suspense de « l'après-Senghor ». Chaque année, depuis dix ans, on parle de la retraite politique du « Vieux » et, en 1980, nombre d'observateurs estiment que L. S. Senghor n'achèvera pas son mandat, cédant la place (conformément à la Constitution) au Premier ministre, Abdou Diouf, son dauphin et héritier présomptif. Le président Senghor, interrogé sur la date de sa retraite, se contente de citer le vieil adage des chasseurs sénégalais à l'affût : « On ne tousse pas quand on guette le gibier... » « Ce n'est qu'au tout dernier moment que je prendrai la parole en disant : " Je démissionne... " Je préparerai alors la dernière édition de toutes mes œuvres et je poursuivrai le combat culturel. »

Alors, il se retirera dans son Colombey-les-Deux-Églises, écartelé entre le bocage normand et « les Dents de la mer », surnom de sa villa dakaroise au parallélisme asymétrique.

Ancien combattant.

Le savon de Marseille

Bonbons, cacahuètes, esquimos, chocolats...

Entractes, boulevards, cages aux singes, consonance aztèque et taille de guêpe, voici venir la cacahuète du plus lointain de notre enfance. Grillée, salée, sucrée, vêtue ou dévêtue, populaire ou salonnarde. Qui n'a jamais fait craquer sous la dent son petit corps bosselé ?

Plante tropicale originaire du Brésil, l'arachide fut transplantée au XVIᵉ siècle sur la côte d'Afrique occidentale par les navigateurs portugais. Mais du côté français, la petite histoire veut que ce soit un certain père Plumier, envoyé spécial du Roi Soleil, qui la découvrît aux Antilles et la baptisa *arachidna* par analogie à l'*arakos*, autre plante à fructification souterraine décrite par Théophraste et... toujours non identifiée. Les Indiens l'appelaient *amendoin* et la cultivaient dès l'époque précolombienne. Aujourd'hui, en Inde, on en fait des nouilles. Quand on aura rappelé que les graines de l'arachide – ou cacahuètes – fournissent une huile utilisée en cuisine ou en savonnerie, qu'elles sont aussi consommées après torréfaction et que le tourteau sert à l'alimentation du bétail, le lecteur saura tout ce qu'il faut savoir... ou presque !

L'histoire commence par un mariage : au XVIᵉ siècle donc, la cacahuète s'embarque sur l'Atlantique, avec un négrier. Mariage d'argent s'il en fut. Il s'agissait de nourrir – tant bien que mal – les cargaisons d'esclaves pendant leur traversée. Ainsi la première vague de cacahuètes s'échoue au Cap-Vert. Et c'est bientôt la marée blonde. Plante vivrière d'appoint, la cacahuète croît et se multiplie. Elle est promue culture privilégiée dès que l'agriculture française abandonne ses colza, navette, œillette et autres oléagineux rétro, pour se tourner vers le blé et la betterave. Payée sur place à un prix dérisoire, l'arachide profite de l'abaissement des coûts de transport et devient une bonne affaire pour les huileries de Bordeaux et de Marseille (déjà le savon !) qui en importent bientôt en quantité croissante.

Lesieur and C^o

La grande aventure commence en 1833, quand un négociant marseillais surnommé Jobic attire l'attention de la chambre de commerce phocéenne sur la « pistache de terre » et présente le premier échantillon d'huile d'arachide fabriqué dans son petit laboratoire de l'île de Gorée. Il attend toujours sa statue des Huiles Lesieur reconnaissantes. Trois ans plus tard, certain général inspecteur du nom de Bernard, en visite à Gorée, écrit ces lignes au ministère de la Marine : « Cocotiers, pistaches et bois de sapin ; voilà les trois agents que je crois propres à civiliser à peu de frais ces bons Joloffs qui pullulent dans leurs villages et dans la ville de Gorée, sans industrie pour leur bien-être et sans fournir aucun élément au commerce. » Alors vient à souffler un petit vent de folie sur la cacahuète. A quelque haut dignitaire religieux qui lui propose des esclaves, Rousseau (pas le pédagogue mais un chimiste goréen qui vient de mettre au point un nouveau procédé d'extraction de l'huile), Rousseau répond, stoïque : « Garde tes captifs, ils sont nos semblables, mais pour les arachides, je t'offre tout ce que tu veux... »

Des chiffres maintenant : 266 tonnes d'arachides sont exportées en 1843, 3 000 en 1850. C'est l'âge d'or des nombreuses huileries qui se créent partout en France tandis que le conseil d'administration du Sénégal refuse – pas fou – d'établir une industrie locale de transformation, et c'est à la demande des huileries françaises que de strictes mesures de protection seront prises. Des mesures qui paralyseront toute initiative d'industrialisation du Sénégal jusqu'à la Seconde Guerre mondiale.

Vers 1930, deux députés font, à la Chambre, une intervention épique qui pourrait s'intituler « le Drame de l'arachide » : « Pour que la France, s'exclament-ils, poursuive [en Afrique] son glorieux et bienfaisant destin, il faut protéger par un tarif douanier les produits de nos provinces d'outre-mer. » Et le président de la chambre de commerce de Dakar de renchérir, dans un paternalisme flamboyant : « Si l'on ne donne pas au paysan sénégalais l'absolue certitude qu'il pourra vendre sa récolte dans des conditions de rémunération suffisante [...], il s'éloignera de nous, de notre civilisation. Il reprendra sa vie primitive d'antan, se contentant de produire les quelques cultures vivrières indispensables à sa subsistance... Il faut qu'on sache que l'œuvre civilisatrice de la France, en ces régions du Sénégal et du Soudan arrosées du sang de nos pionniers, est à la veille d'être non seulement compromise, mais irrémédiablement orientée... » Et d'ajouter avec confiance : « La France s'honorera de faire une bonne action. Elle assurera ainsi l'existence du Noir africain, l'empêchera de mourir de faim, lui permettra de se procurer des vêtements pour lui et pour les siens ; elle assurera la pérennité de son œuvre colonisatrice. Mais ce faisant, elle accomplira un geste qui lui sera à elle-même directement profitable... » Voilà, tout y est : bonnes actions et bonnes affaires dans le cadre de la haute mission civilisatrice de la France. Comme le disait André Gide : « Aux colonies, toujours les plus beaux sentiments couvrent les plus honteux marchandages. »

Peanut vendor

Il n'est pas rare d'entendre encore, en brousse ou dans les petits bars de Dakar, de vieux paysans nostalgiques ou des colons d'avant-guerre évoquer « le bon vieux temps » de la traite (de l'anglais *trade*, commerce). Celui où des sociétés étrangères d'import-export récupéraient l'arachide au plus bas prix, la stockaient, la vendaient en Europe ou en Amérique et importaient au Sénégal des produits manufacturés : textiles, bicyclettes, quincaillerie, sucre... Le développement économique du pays se trouvait ainsi sous l'entière dépendance de quelques maisons de commerce et industries métropolitaines qui se livraient à un troc monumental : vendre et acheter au Sénégal – acheter et vendre en France. Au Sénégal, le Français ne devient pas planteur comme en Algérie, mais cadre ou commerçant. Selon une circulaire administrative de 1859, « le sol doit être laissé aux indigènes ». Il faudra donc les enrichir pour leur vendre nos marchandises. La « campagne », période de la traite durant lesquelles étaient autorisées les opérations commerciales, débutait fin novembre (après les dernières pluies) et se terminait vers le mois de mai, les *seccos*, énormes pyramides d'arachides en coques, devant être déménagés avant les premières tornades. L'escale où s'effectuait la vente (en bordure d'une voie ferrée, d'un fleuve ou d'une route) était peuplée d'une étrange société où se rencontraient deux mondes antagonistes et tout un fouillis de hiérarchies et de combines. Paysans, commerçants, transporteurs, courtiers, rabatteurs de tout poil et de toutes nationalités s'agitaient frénétiquement jusqu'au soir dans un tourbillon hétéroclite. Un décor de western sur l'air de *Peanut vendor*, célèbre rumba des années folles.

La traite était dominée par de grandes maisons bordelaises, Maurel et Prom, Buhan et Teisseire, Delmas, Peyrissac, Vézia, véritables trusts disposant de comptoirs disséminés à travers tout le pays, et qui règnent encore aujourd'hui sur l'import-export. Il arrivait cependant que quelques commerçants indépendants français, anciens employés de firmes, jouent un rôle de demi-grossistes dans les escales. Ainsi les « mange-mil », d'origine ariégeoise, sorte de mafia qui émigrait au Sénégal comme les gens de Barcelonnette au Mexique ou les Basques en Argentine, et que l'on comparait aux nuées de passereaux dévastateurs de récolte par leur façon de s'abattre sur le petit commerce de brousse. Ils avaient pour rivaux la bande des Syro-Libanais installés en 1918 lorsque leurs pays furent placés sous mandat français. C'était de solides concurrents par leur solidarité tribale, leur sens des affaires et leur aptitude à parler le wolof, le sérère ou le malinké.

A la merci de la cacahuète, tout ce petit monde ne roule cependant pas sur l'or. Les faillites sont nombreuses quand la récolte est mauvaise, et le paysan, de son côté, est toujours pressé de vendre pour éponger quelque dette et se lancer sur-le-champ dans des achats débridés. Sitôt délesté de sa récolte, on l'agrippe, on le téléguide, on le conseille, et le broussard se retrouve dans le même bazar universel où il se laisse entraîner à l'euphorie des achats inutiles : riz pour les fêtes, étoffes, quincaillerie, revues, savonnettes, moulins à café, soutiens-gorge,

« Seccos » d'arachide
à Kaolack.

miroirs, casques coloniaux et lunettes de soleil. Superflu de pacotille qui lui permet de tester le grisant pouvoir de son papier-monnaie et de faire, chargé de cadeaux, un retour triomphal au village. Plumé, mais content. De toute façon, comme le rappelait un éminent professeur de l'université d'Alger, en 1920, auteur éclairé des *Siècles obscurs du Maghreb*, « il ne faut pas hésiter à donner aux indigènes des besoins, voire même des vices »... Brillant élève, l'acheteur de cacahuètes! Son bon argent, sorti par la porte d'honneur, est assuré de revenir par la porte de service dans un seul et même circuit.

Paysannerie aux abois

Bien sûr, les temps ont changé. Le système des coopératives et de la traite d'État (ONCAD) a mis fin à l'exploitation du monde rural par quelques négociants sans vergogne, mais les nouvelles structures n'ont pas donné les résultats escomptés. Ni amélioré le sort des paysans. Trusts mondiaux, puissantes oligarchies et fonctionnaires abusifs ont pris le relais du pouvoir colonial. Car l'étatisation de la traite est venue trop tard, à une époque où cette dernière avait perdu le plus gros de sa rentabilité, et l'on a trop cherché à financer le développement de l'ensemble du pays sur le dos des paysans.

Ceux-ci, d'ailleurs, l'ont vite compris. Ils se replient de plus en plus sur la culture de leurs anciens produits (riz ou mil). « Manger mieux » est devenu leur leitmotiv. Nombre d'entre eux doivent emprunter de 20 à 30 % de leur récolte pour faire la soudure avec la moisson suivante : on vend la prochaine récolte « en feuilles » comme nos paysans vendaient, au XVIIIe siècle, leur blé en herbe.

D'autre part, les solidarités familiales ou politiques entravent le libre exercice du droit de contrôle et de contestation du coopérateur. Détournement de sacs, pesées frauduleuses, prêts usuriers, pots-de-vin et dessous-de-table, tout un micmac qui fait loi et prouve que les meilleures institutions sont vite détournées de leur but. D'autant plus qu'il s'agit d'une conception de développement rural imposée de l'extérieur à un paysan que l'on considère à tort comme passif, et qui devrait attendre l'administration comme le Messie. En 1979, l'un des seuls exemples d'autogestion villageoise est celui des coopératives touristiques de Casamance. Les villageois construisent eux-mêmes des cases de passage, reçoivent leurs visiteurs « à la diola » et se réunissent démocratiquement pour décider de l'affectation des bénéfices en fin d'année : implantation d'un poulailler modèle, achat de pirogues motorisées pour la pêche, construction d'un dispensaire... Autour d'un plat de riz partagé sous les étoiles, c'est avec les villageois de ces campements que j'ai compris ce que pourrait être le fameux dialogue des cultures cher au président Senghor. Bien loin de l' « université des mutants » de l'île de Gorée.

A l'ONCAD, en revanche, la bureaucratie qui chapeaute le

monde rural et devait dépérir pour laisser la place à un mouvement autonome de paysans – « responsabilisés et autogestionnaires » – s'est encroûtée dans la routine et la corruption. Cibles favorites des partis d'opposition, aucune des deux mille coopératives n'a réussi, jusqu'à présent, à fonctionner en dehors de la tutelle de l'État. Tout concourt à coincer le paysan dans un endettement chronique qui lui fait rechercher l'argent à tout prix. Celui qui vient de prendre livraison d'un sac d'engrais qu'il devra rembourser lors de la prochaine récolte pour un montant de 600 francs CFA, cherche aussitôt à le céder à un riche voisin pour 400 francs CFA ou même à moitié prix. Cette pratique n'est pas sans rappeler le *buki* (hyène), célèbre dans tout le Sénégal : un fonctionnaire qui a « droit au crédit » achètera pour son compte un solex ou un Frigidaire (marque déposée), payable en plusieurs mensualités. Il le revend aussitôt à un tiers contre paiement comptant d'une somme souvent moitié moindre. Il perd donc sur tous les tableaux, mais c'est le seul moyen de se procurer un peu d'argent frais.

Une excellente émission de la radio éducative rurale, *Disoo* (Dialogue), permit il y a quelque temps aux paysans d'exprimer leur mécontentement. Tous ces prêts nous enchaînent, répètent-ils. Et pourtant, le proverbe wolof ne dit-il pas : « Un homme qui meurt sans dettes n'est pas un homme » (car cela prouve qu'il n'a pas d'amis) ? Il semblerait que les temps aient changé.

La première huilerie, créée à Dakar en 1917, sera reprise en 1936 par le Danois Petersen dont les usines embaument encore tout le centre de la ville du nuage chocolaté produit par la torréfaction de la cacahuète. Vient le tour des fameuses Huiles Lesieur de fuir, en 1944, les brumes de la région de Dunkerque et l'occupation allemande pour s'installer au Sénégal. Le PDG était alors Lemaigre-Dubreuil, « Gras-Double » dans la clandestinité.

Il s'agit dès lors de s'orienter vers l'exportation : 4 122 tonnes en 1930, 100 000 en 1960. Le sort du Sénégal se précise, les cultures vivrières sont abandonnées. On baigne dans l'euphorie d'un grand rêve entamé en 1850 avec le gouverneur Protet : « Les arachides doivent sauver le pays. »

Intérieur de la grande mosquée de Touba.

Touba,
La Mecque du mouridisme.

Le jour du pèlerinage à Touba.

Page de gauche :
vivre le *magal* jusqu'à
l'épuisement.

Un pacte avec le diable

Cent trente ans plus tard, il vaudrait mieux s'interroger sur la façon dont le Sénégal parviendra à se sauver de l'arachide. La cacahuète souveraine (87 % des recettes annuelles d'exportation en 1959, et encore près de 50 % à l'heure actuelle) est ressentie comme le résultat d'un pacte avec le diable. Partie des environs de Dakar au milieu du XIXe siècle, l'arachide a gagné le Kayor grâce au chemin de fer Dakar-Saint-Louis ouvert en 1885 et a progressivement gangrené l'intérieur du pays. La « graine » impose sa loi au paysan que la colonisation a détourné de ses cultures vivrières, et quand vivrières elles sont... Sait-on qu'en 1916, le Sénégal exportait 5 000 tonnes de gros mil pour servir de fourrage à la cavalerie française ? Et un sagace prospecteur du potentiel économique du Soudan occidental pouvait même conseiller de cultiver du maïs et du mil, dans ce pays à 85 % musulman, pour en faire de l'alcool. Priorité aux cultures d'exportation : c'est dans cette optique que l'intérêt de la France commandait jadis l'implantation du coton au Tchad, de la vigne en Algérie, du café et du cacao en Côte-d'Ivoire...

Les gouvernants sénégalais s'efforcent d'endiguer la production d'arachide, source tyrannique de tous les espoirs et malheurs du pays, par une sage mais tardive politique de diversification de l'agriculture (canne à sucre, coton, riz, cultures maraîchères et fruitières). C'est d'autant plus nécessaire qu'une sécheresse dont on ne voit pas la fin réduit chaque année la récolte d'arachides. Mais s'il est vrai que d'immenses efforts financiers sont consentis en matière agricole, c'est beaucoup trop au profit des cultures d'exportation et au détriment des cultures vivrières. On a ainsi contribué à l'accaparement, par les sociétés étrangères, des terres les plus fertiles. Le cas de la Bud-Sénégal en constitue un exemple : entreprise de maraîchage créée en 1972 avec une faible participation financière du Sénégal et une majorité de capitaux privés étrangers, notamment hollandais, la Bud-Sénégal est devenue société semi-publique en 1977. Employant quelque trois mille travailleurs dont très peu sont permanents, elle exportait la quasi-totalité de sa production de fruits et légumes sur les marchés européens, ne réservant que ses rebuts aux marchés sénégalais... La liquidation de cette société en août 1979 a provoqué, depuis lors, de graves remous.

Aussi les produits alimentaires représentent-ils près de 35 % des importations tandis que l'arachide, aux mains des grands trusts mondiaux, souffre à longueur de temps de la fluctuation des cours. En 1946, 1 kg de cacahuètes permettait d'obtenir 10 kg de riz. En 1976, avec 3 kg de cacahuètes, on obtiendra tout juste 1 kg de riz. Selon « Terre des hommes », un chauffeur de camion sénégalais devra travailler une heure et demie pour obtenir ce kilo de riz. Le même chauffeur, en Hollande, ne doit travailler que quinze minutes.

Alors, pourquoi le fléau cacahuétique s'acharne-t-il sur le Sénégal ? C'est que la diabolique petite graine a trouvé là un sol idéal, un ciel des plus favorables, et que sa culture n'entraîne aucun bouleversement des techniques traditionnelles. Elle introduit surtout un facteur moderne, universellement respecté : l'argent.

On s'oriente vers un élargissement des exportations (phosphates, produits de la pêche), avec l'espoir d'exploiter bientôt le pétrole de la Basse-Casamance et le fer du Sénégal oriental. « Le Sénégal entre enfin dans l'âge du fer », titre sans rire le journal *le Soleil*. Le tourisme, nouvelle panacée, attire déjà plus de 10 milliards de francs CFA de devises par an. Encore faudrait-il éviter de faire la monoculture des touristes après celle de l'arachide. Le Sénégal progresse donc vers une restructuration de son économie, mais l'édifice se construit trop lentement et demeure fragile. Les cours du phosphate sont en baisse et les grands projets d'investissement (zone franche industrielle, chantier naval de réparation pour super-tankers, raffinerie géante, complexe pétrochimique, aménagement – vital – du fleuve Sénégal) prennent du retard. Et puis, comme partout ailleurs, l'inflation sévit.

Islam et cacahuète

On peut se demander quelle est l'origine de la prédilection des Mourides pour l'arachide. Vincent Monteil cite, à ce propos, l'expression proverbiale dont se servait Amadou Bamba, fondateur de cette confrérie musulmane sénégalaise de plus d'un million de fidèles, pour envoyer ses adeptes aux champs :

Ligey si top Yala la bok (ce qui veut dire : le travail fait partie de la religion). Pour les Mourides, le travail sera la clef du paradis. Le prophète Mohammad ne dit-il pas que « travailler pour faire vivre les siens équivaut à la prière et à l'adoration de Dieu » ? C'est sans doute moins terre à terre que le fameux « Enrichissez-vous » de Guizot. Mais tout aussi efficace. Nous voilà loin de l'éternel refrain antimusulman qui veut que travail et islam soient incompatibles. Dans le cas du mouridisme, il s'agit tout au contraire d'une gigantesque mobilisation pour la conquête de terres vierges et la culture de l'arachide.

Ce qu'on a appelé le « colonat maraboutique » est en réalité une vaste opération de récupération, par les Mourides, des hiérarchies préexistantes. Lorsque les paysans abandonnèrent leurs cultures vivrières et le système de troc qui en découlait pour se tourner vers l'arachide, synonyme d'indépendance et de progrès, les marabouts ne furent pas longs à comprendre que leur puissance était menacée. En prenant en main cette culture sous couvert de religion, ils eurent l'intelligence de s'assurer de véritables colonies dont ils représentaient à la fois le pouvoir temporel et spirituel.

Selon Mamadou Dia, auteur d'un livre sur *Islam, sociétés africaines et cultures industrielles*, ces communautés permettent de concilier socialisme et foi musulmane. La communauté de Médina-Gounasse, affirme-t-il, « ne fait pas beaucoup parler d'elle parce que réfugiée dans le travail et la méditation [...]. [Elle] vit dans l'harmonie et la solidarité des ethnies qui y sont rassemblées, ignorant l'usure, l'endettement, la prévarication, l'exploitation de l'homme par l'homme [...]. Elle préfigure en miniature [...] la société africaine de demain ». Il faut cependant ajouter que cette petite République islamique est l'un des rares lieux d'Afrique noire où les femmes circulent voilées.

Le colonat maraboutique n'est pas une exclusivité mouride. Ainsi, la communauté de Médina-Gounasse, en Haute-Casamance, a été fondée par le marabout Thierno-Seydou, de confrérie tidiane. De même, en Mauritanie, le cheikh de Bou-Mdeit, au Tagent, nourrit, loge et entretient depuis vingt ans de 15 000 à 20 000 *talibés* (disciples) auxquels il fait travailler la terre.

Les Mourides, quant à eux, sont loin de faire l'unanimité.

On crie au fanatisme, à l'esclavage, au sectarisme, à l'hérésie. Ce qui fait dire, par exemple, à un musulman maure interrogé par un journaliste qui s'étonnait que les captifs noirs de Mauritanie ne se révoltent pas contre leurs maîtres : « Avant tout la crainte d'être libres. C'est ce qui explique le succès des Mourides. Des milliers d'hommes ont fait don de leur liberté au khalife de Touba, un Noir comme eux. Les captifs ne sont chez les Maures et chez les Peuls qu'une vague survivance de l'esclavage ; les Mourides sont, eux, de véritables esclaves, et pourtant tous sont nés libres. » Féodalisme où Allah n'intervient que comme prétexte ? Les Mourides ne sont pas sans rappeler nos grands ordres défricheurs du Moyen Age. C'est une redoutable puissance temporelle.

La conquête de l'Est

Il faut avoir visité l'un des villages du front pionnier (les *daxa*) aux confins du désert de Ferlo où une petite communauté de jeunes *talibés* se regroupe autour de son marabout pour voir avec quelle discipline religieuse et quelle inexorable précision se déroule la conquête de l'Est. Ici, envers de la belle épopée, le mauvais rôle – celui des Indiens des westerns – est tenu par les pasteurs peuls, refoulés dès 1937 et menacés d'asphyxie dans leur réserve sylvo-pastorale. Dérisoire opposition d'un monde nomade moribond face à la puissance économique, politique et religieuse des Mourides.

Cette poussée arachidière vers les Terres Neuves (et non pas vierges) soulève de nombreuses critiques de la part des agronomes. Il y voient une « économie de rapine » dévastant le pays, délaissant au fur et à mesure des sols devenus stériles par surexploitation. Pourtant, le paysan mouride ne se contente plus d'un défrichement sommaire. Il pratique une agriculture de type « sérère » en alternant le mil et l'arachide et en pratiquant la jachère quand le rendement devient trop faible.

Le grand marabout de Touba, Falilou Mbacké, récoltait sur ses terres cultivées gratuitement 100 tonnes d'arachides auxquelles s'ajoutaient 500 tonnes que ses *talibés* produisaient à son profit dans tout le Sénégal. D'autre part, les disciples citadins versent chaque mois à leur marabout la dîme de leur salaire, sorte d'aumône légale *(asaka)* à laquelle viennent

Bay Fal canalisant la visite des fidèles à leur marabout.

s'ajouter les oboles versées chaque année par le demi-million de fidèles qui vont au pèlerinage de Touba, ville sainte des Mourides : cela représente 500 millions de francs CFA.

1979 : magal à Touba

Combien de fidèles pour ce colossal pèlerinage ? 500 000, un million ? Le jour béni de cette manifestation est un jour de grande pagaille. Une marée humaine déferle de tous les coins du Sénégal vers les minarets de la grande mosquée. Elle vient à pied, à cheval, en voiture, en mobylette ou en taxi-brousse, agglutinée sur le toit de trains spéciaux ou entassée dans des charrettes. Quelques marchands de voyages font trois ou quatre fois par jour le trajet Dakar-Mbacké (180 km). Un dur voyage, dans l'esprit des pèlerinages du Moyen Age avec, au bout du chemin, la *baraka* (bénédiction) rédemptrice.

Mais le *magal*, c'est aussi une gigantesque kermesse avec des aspects « foire du Trône » ou « fête de *l'Huma* ». Pendant la nuit sainte, à Mbacké, la ville voisine, une folle ambiance règne dans les bars, les dancings et les tripots. Beaucoup déplorent le paganisme qui dénature de plus en plus ce pèlerinage. Le mysticisme va-t-il se noyer, comme à Lourdes, au milieu des étalages des « marchands du temple » ? Nous voilà bien loin de la saga d'Amadou Bamba.

Ibra Fall, le fidèle compagnon qui était à ses côtés lors de la révélation de Touba, reste surtout célèbre par le fanatisme de ses disciples, les fameux Bay Fal. L'air hagard, les cheveux longs et nattés ou coiffés d'un bonnet noir à pompon, vêtus de hardes en patchwork, bardés de gris-gris et munis d'un pilon à mil symbolisant la création de Touba, ils bousculent sans ménagement tous ceux qui se trouvent sur la route de leurs marabouts. Par leur brutalité et leur intolérance, ils offrent souvent une caricature du mouridisme.

La saga d'Amadou Bamba

En 1890, dans sa retraite de Touba, le cheikh développe cependant un mysticisme religieux d'une grande pureté, exempt de toute velléité politique. Mais l'administration coloniale commence à s'alarmer du nombre croissant de ses disciples (5 000 *talibés*), des achats d'armes et du refus de l'impôt. Elle accuse Amadou Bamba de rameuter autour de lui « les mécontents, les chefs révoqués, les déserteurs, les Peuls fanatisés et les anciens guerriers de Lat Dyor ». En 1895, le gouverneur décide la déportation du cheikh des Mourides au Gabon.

Cet exil de sept ans fera d'Amadou Bamba le héros de l'islam sénégalais. Pendant qu'il se plonge dans la méditation, la composition de nombreux poèmes et la rédaction d'une chronique très imagée, sa confrérie cristallise autour de son nom toutes les forces de l'opposition à l'administration française, et à travers la légende populaire se développe une grande saga des miracles. « Le premier miracle du *sérigne* se fit au moment où, sur le coup de midi, on lui présenta comme déjeuner un plat de viande impure rôtie, mais dès qu'on eut déposé le plat devant Amadou Bamba, chaque morceau se mit à aboyer et à gronder comme un molosse en colère. » Et lors de son voyage en mer vers le Gabon : « L'heure de la prière approchait, Bamba fit ses ablutions mais vit une dame blanche qu'on avait envoyé toucher le saint homme pour rendre nulles ses ablutions. Alors Bamba jeta sa peau de prières sur les vagues bleues tandis que le bateau voguait, la peau courait aussi, et le *sérigne* s'y tint debout en s'acquittant de son devoir pieux... Les passagers du vaisseau, médusés, distinguaient des grains de sable sur le front du marabout, comme s'il s'était prosterné sur la terre ferme. » Autorisé à rentrer dans son pays en 1907, Bamba demeure en résidence surveillée pendant cinq ans, en proie aux tracasseries du commandant de cercle qui écrit : « Nous ne pouvons tolérer un État dans l'État. » C'est seulement en 1912 que le *sérigne* est autorisé à s'installer dans sa région natale de Diourbel, où la mort vient le prendre. On dit qu' « un grand vent se

Amadou Bamba
et l'administration
coloniale
(peinture sur verre).

leva ce jour-là, qui rejeta dans la mer le génie protecteur qui avait accompagné l'exilé au Gabon et l'avait suivi à Diourbel... »

De nos jours, l'aide administrative accordée aux Mourides n'est pas moindre que celle des fidèles. Des prêts importants sont consentis. C'est que la puissance économique et financière des Mourides s'accompagne d'une force politique considérable, et les subventions affluent à l'approche des élections. A deux reprises, en 1951 et 1952, les votes mourides ont fait triompher le BDS contre la SFIO. Ils soutiennent actuellement le parti du président Senghor (UPS devenu PS) et un vent de panique a soufflé, en 1978, lorsque quelques marabouts de la confrérie ont décidé de faire basculer le scrutin, mettant ainsi en péril l'ouverture démocratique.

Alors, que conclure du mouridisme ? « Servage librement consenti ? » Politique de « développement adapté » ? Comment juger un « féodalisme d'un autre âge » qui envoie la fine fleur de sa jeunesse étudier dans les universités américaines ou européennes ? Le jeune diplômé de Harvard, le technocrate, le sociologue peuvent avoir un de leurs frères livré à un marabout « comme un cadavre entre les mains du laveur de morts ». Une vague nationaliste semble pousser, depuis quelque temps, la jeunesse des villes et les étudiants vers le mouridisme : ils y recherchent une providentielle authenticité face à l'Occident.

René Dumont, malgré ses critiques, reconnaît que « si la devise des Mourides – « travail, ordre, discipline » – était effectivement appliquée dans toute l'Afrique noire, les chances de développement de ce continent seraient considérablement accrues ». Ce nouvel islam noir, par son ampleur, son originalité et son extraordinaire dynamisme, reste l'une des réalités les plus marquantes du Sénégal contemporain. Et, en 1963, le président Senghor, lors de l'inauguration de l'immense mosquée de Touba, rendant hommage à Amadou Bamba, pouvait dire : « Il a voulu enraciner l'islam en terre noire et l'adapter à notre situation de pays sous-développé de paysans négro-africains. D'où ce trait de génie qui a fait du travail, singulièrement du travail de la terre, la forme fonctionnelle de la prière. »

Kassoumaye Casamance

« Depuis longtemps j'avais rêvé de la Casamance, à cause du mot romance et des chansons des isles... » Malraux, dans ses *Antimémoires*, n'est pas le seul à s'enthousiasmer pour cette petite Floride sénégalaise, isolée depuis des siècles comme une forteresse par tout un labyrinthe de marigots et de bras de mer, et aussi différente du Nord que l'eau peut l'être du feu.

Les agences de voyages, immédiatement sur la trace des ethnologues, s'en donnent à cœur joie depuis quelques années pour transformer ce paradis perdu pour Diolas, Mandingues, Manjacks, Balantes et Baïnouks, en réserve artificielle pour Occidental assoiffé d'aventures tropicales sur mesure... Tous les ingrédients semblent en effet réunis pour réaliser une excellente mayonnaise pimentée de la juste dose d'exotisme : mer chaude + plages infinies de sable fin « ourlées de cocotiers » + seins nus dans les rizières + tam-tams et pirogues + cigognes qui planent et pélicans placides + danses effrénées au clair de lune + quelques masques, fétiches et autres sorcelleries pour faire frissonner un peu + mystérieux bois sacrés interdits aux profanes + villages dits pittoresques enfouis sous les fromagers géants aux racines dites surréalistes + omniprésence feutrée des panthères, crocodiles et autres pythons rôdant autour de la case tout confort + que sais-je encore ? pourquoi pas un raton laveur ? le tout baignant dans la douce torpeur d'un soleil éternel toujours au centre de la panoplie de toute bonne littérature touristique.

Voilà pour l'imagerie d'Épinal d'une Casamance prête à être consommée à travers les vitres du car climatisé. Pour le touriste qui « débarque », rien n'a beaucoup changé depuis

Marigot près du village de Séléki.   91 l'Exposition coloniale de 1930 ou la lecture des *Tarzan* de son enfance, et, nouveau Tartarin, il attend avec une exaltation angoissée le choc de l'exotisme.

Pourtant, comment évoquer la Casamance sans tomber à mon tour dans le frémissant, style paradis originel ou Afrique primordiale ? Comment décrire avec simplicité une histoire d'amour sans mise en scène qui commence avec le célèbre *Kassoumaye* de bienvenue et se prolonge à travers des *bunuk*-parties (*bunuk*, vin de palme, en diola) sous les palmiers, des discussions mémorables au bord de l'eau et sous les étoiles, des plats de riz partagés, ou encore, pêle-mêle, la ronde autour du feu de la danse *ekong-kong* où chacun brandit le symbole de son autorité : lance, sabre, parapluie, ou même... attaché-case ; la beauté, l'éclairage et l'atmosphère des grandes cases d'argile ; le cours insolite des rites de funérailles *(ñukul)*, oscillant sans cesse entre le drame et la farce, la dignité et le burlesque ; la fraîcheur de l'ombre sous les manguiers ; l'ambiance et la courtoisie des luttes traditionnelles entre villages ; les cérémonies d'initiation *(bukut)* où les écoliers en vacances passent sans transition du lycée au bois sacré ; la pirogue qui glisse sous un tunnel de palétuviers ; le son du *bombolon* dans la nuit ; les odeurs aussi, celles de l'huile de palme, des flambées de palétuviers, du gingembre ou des rizières humides ; les plages enfin, pourquoi pas ? Désertes comme il se doit, où les seuls troupeaux de bord de mer se composent de bœufs authentiques et de crabes sprinters... Toute une gamme d'impressions et de sympathies qui font de la Casamance une terre si heureuse et si humaine.

Nos ancêtres les Saxons

Tout d'abord, si l'on vient du Nord, « du Sénégal » comme disent les Casamançais avec quelque ironie chauvine, il est inévitable de traverser l'un des plus invraisemblables caprices de l'histoire légués par les aléas du dépeçage colonial : cette Gambie aux frontières aussi sinueuses que stupéfiantes, qui s'enfonce sans vergogne au cœur du Sénégal, épousant les méandres du fleuve qui lui donne son nom en même temps que sa seule raison d'être.

Un pic, un cap, que dis-je, une péninsule... tout est possible pour qualifier cette forme biscornue que même le plus torturé des géographes utopistes n'aurait pu concevoir. Par décence, je n'irai pas plus loin dans les analogies faciles.

Fiche technique : 11 300 km², environ 30 km de large sur 350 de long, 490 000 habitants, disent les statistiques gambiennes, mêmes ethnies qu'au Sénégal (Mandingue, Wolof, Peul, Diola), même passé précolonial (Sénégambie), même environnement, mêmes activités économiques, et pourtant, ici, tout est différent.

On s'en aperçoit dès le premier contact avec les douaniers gambiens (quatre postes frontières sur 31 km, deux sénégalais et deux gambiens) : élégance nonchalante, short long et coiffure gomina-raie-au-milieu, courtoisie distante et le juste zeste de fantaisie... ceux que les Sénégalais appellent familièrement « les Anglais » n'ont pas seulement hérité d'une langue administrative internationale, mais de certain mode de vie tout britannique que ne démentent pas des vestiges tels que terrains de golf, cricket, *breakfast* et *tea-time*... jusqu'à une excellente pop-music, style Beatles afro-cubains.

Les gens du riz

Voici donc la Gambie traversée aussi brièvement que le permettent ses frontières. L'ultime épreuve reste le passage du bac (en panne une fois sur deux) et les files d'attente des malheureux camions sénégalais sur des kilomètres.

Kassoumaye Casamance! Finies la savane calcinée et les tracasseries douanières... Palmeraies, rizières, cocotiers, villages et bras de mer se succèdent bientôt comme des clichés de cartes postales et le pied lâche l'accélérateur après la longue traversée de la Transgambienne... C'est en roue libre, dans la fraîcheur du soir, qu'il faut aborder le pays de ceux que l'on surnomme souvent les « Bretons du Sénégal », à la fois individualistes, migrateurs, solidaires et casaniers, traits de caractère que ne renieraient pas les paysans bigouden du *Cheval d'orgueil.*

En pays diola, manger *(furi)* ne peut avoir d'autre sens que « manger du riz » et c'est vraiment se trouver au dernier degré de la misère et de la déchéance que de passer une journée entière sans en consommer. D'ailleurs, le riz *(emano)* est

Récolte du riz
à Diouloulou.

Labourage
au *kajendo*
à Énampore.

Jeune pasteur.

partout dans la vie du Diola... Aliment de base et toile de fond du paysage, il est aussi le symbole de la richesse, l'objet d'offrandes et de libations aux fétiches *(bëkin)* et la source de conduites ostentatoires, spectaculaires, excessives.

Pour être riche et puissant, il est essentiel de disposer de rizières nombreuses et de greniers bien remplis dans lesquels s'entasse parfois du riz vieux de dix à vingt ans, que l'on conserve avec soin dans l'attente de quelque fête hypothétique comme les funérailles d'un vieux notable ou les rites d'initiation, événements qui rythment la vie des villages et donnent lieu à de plantureuses agapes arrosées de flots de vin de palme, où sont immolés bœufs, cochons et chèvres par troupeaux entiers. Lors des funérailles *(ñukul)*, à côté du mort que l'on enterre, on n'oublie jamais de déposer une provision de voyage de ce précieux viatique. Mais laissons la parole à Aboubacar Doucouré, instituteur à Diembering : « Le mort est paré de ses plus beaux habits et bijoux puis placé sur un mirador, faisant face aux danseurs et aux pleureuses. Peut-être se demande-t-il le sens de la vie ? Les danseurs avancent vers lui, lance au poing, en rangs bien serrés, reprenant en chœur son chant de guerre, connu seulement par sa classe d'âge et chanté à cette occasion. Ce chant qui s'élève comme un grégorien évoque les hauts faits et les scènes de courage des ancêtres et du défunt. Des coups de fusil sont tirés dans les feuilles des manguiers. De temps en temps, un vieux se détache du groupe, joue quelques notes joyeuses avec sa flûte, interpelle en riant le mort, farçant et grimaçant... Chaque membre de la famille raconte les derniers jours qu'il a vécus avec le défunt, amis et parents font des dons de pagnes neufs (jusqu'à cinquante parfois) dont le mort va se vêtir dans l'autre monde. Ou bien on lui donne ces pagnes pour qu'il les remette à un cousin décédé il y a deux ans. Si on ne lui en donne pas assez, il les réclamera en rêve. L'interrogation du cadavre a surtout lieu si la mort a été brutale ou bizarre. Le défunt est placé sur un brancard par quatre membres de sa famille, et un notable lui pose des questions sur les circonstances de sa mort et parfois sur les personnes qu'il soupçonne de l'avoir tué. Si les porteurs avancent (poussés par l'âme du mort), c'est oui. Dans le cas contraire, c'est non. La foule s'écarte avec effroi sur le passage du brancard. Il arrive ainsi que l'on accuse quelqu'un de sorcellerie en plein public... »

C'est la civilisation du riz qui donne à la Basse-Casamance une grande partie de son originalité. Il n'est pas jusqu'aux conflits entre villages qui ne trouvent leur source dans d'inextricables problèmes de propriété de rizières mitoyennes... un cadastre mouvant et contesté, prétexte à de mémorables « guerres du riz » que la tradition orale a transformées en épopées. Encore en 1976, les villages d'Affiniam et de Diatok (département de Bignona) s'expliquèrent à coups de fusil et de coupe-coupe au cours d'une escarmouche suivie d'une expédition punitive, avec renforts venus de Gambie et de Dakar, qui se solda par plusieurs morts et incendies de cases.

C'est en décembre ou janvier, selon les pluies et les régions, qu'a lieu la fête qui célèbre la fin de la récolte du riz *(epit)*, date essentielle du calendrier agricole. La conquête des sols du *potopoto* pour l'aménagement des rizières dans le domaine des palétuviers se fait selon un savant travail de digues et de canaux qui « poldérisent » peu à peu de vastes zones inondables par l'eau de mer. Il faut évoquer ici la lamentable aventure de l'Illaco : des techniciens hollandais, plusieurs milliards de francs CFA dépensés pendant cinq ans, des hectares de palétuviers arrachés et pas un grain de riz récolté... Bérésina de la technologie occidentale qui illustre un certain échec de la Coopération où l'on veut à tout prix « faire comme chez soi » au mépris de toute observation des expériences locales. En 1979, quelques villageois ont bouclé la boucle en cloisonnant ce vaste bourbier par les méthodes traditionnelles et en récoltant le premier riz.

Quelques naufrages en pirogue dans les tornades, suivis de nuits pitoyables à patauger dans la vase entre des racines diaboliques, vous font vite maudire le romantisme des « palétuviers roses » de la chanson. Mais on leur pardonne en savourant les huîtres agglutinées sur leurs racines et grillées avec elles...

L'instrument essentiel de la riziculture diola est le *kajendo*, longue bêche dont la palette incurvée s'adapte aux labours *(ewañ)* des terres humides. C'est l'outil roi dont on dit qu'il travaille beaucoup sans jamais manger. Il sert tout aussi bien à enfouir les chaumes et à modeler les sillons dans les rizières qu'à creuser le *banco* (argile) pour la construction des cases.

Le repiquage du riz *(buhin)*, cultivé en pépinière, reste l'apanage des femmes. Et ce n'est pas une sinécure, surtout dans les rizières gagnées sur les palétuviers. Cassées en deux sous le soleil qui miroite dans l'eau boueuse – une eau qui monte jusqu'aux cuisses quand ce n'est pas jusqu'au ventre –, à la merci des sangsues et des tsé-tsé, les femmes repiquent un à un les jeunes plants durant de longues journées, chantent, s'interpellent et se répondent pour s'encourager mutuellement :

> *Aroten aroteno oli jikoyeee*
> *Aroten aroteno oli jikoyeee*
> *Aroten aroteno tek emano nemba vivi*

« Retardataires, retardataires, nous on est déjà parties... » C'est ainsi que les repiqueuses les plus rapides aiguillonnent celles qui prennent du retard. En fait de partir, beaucoup de jeunes filles désertent les rizières pour émigrer vers les villes et s'y placer comme *fatou* (domestique). Elles envoient une grande partie de leur salaire à ceux qui sont restés au village et ne reviennent pas toujours pour le prochain repiquage.

« Celui qui porte le boubou
ne peut travailler dans la rizière »

Ce fameux dicton diola rejette sur l'islam les problèmes posés à la riziculture depuis quelques années. La coutume s'opposant farouchement à la vente du riz, il a bien fallu trouver un moyen de payer l'impôt ou l'école. L'arachide, dont le travail est moins astreignant, avait aussi l'avantage d'être directement commercialisable. Introduite en Casamance vers 1835, elle ne tarda pas à damer le pion au riz, surtout parmi les populations islamisées du nord de la Casamance *(Foñi)*. Sacrilège ! Les effets négatifs se font vite sentir : épuisement des sols, déforestation et désintégration d'un savant équilibre socio-économique basé sur la culture du riz. L'arachide atténue le culte du grenier, symbole du prestige et de l'unité familiale, et accélère le processus d'individualisation en donnant à chacun une certaine autonomie financière.

Les bœufs sacrés

Titre choc, mais qui ne reflète qu'une petite partie de la vérité : ce n'est pas l'animal lui-même qui est sacré, mais le fait de le mettre à mort dans des circonstances exceptionnelles (funérailles, circoncision...). Le Diola ne sacrifie jamais un bœuf pour de viles motivations alimentaires. Le troupeau bovin constitue, en concurrence avec les greniers de riz, le symbole essentiel de la réussite matérielle et de la puissance : richesse, autorité sociale, prestige de la famille lui sont liés, et il n'est pas rare que certains patronymes y fassent référence : *Siyalen :* celui dont les bœufs sont innombrables ; *Sikumbulin :* celui dont les bœufs écrasent le chemin (tant ils sont lourds et nombreux).

Le sacrifice aux bœufs est la suprême réparation que l'on puisse faire aux *bëkin* (fétiches) offensés. Pour le meurtre d'un homme, il faudra leur offrir cinq taureaux et une génisse. Lors des circoncisions et des funérailles, le goût de l'étalage de ces richesses et le désir de se concilier les puissances spirituelles combinent leurs effets pour donner lieu à d'impressionnantes hécatombes. Car tout bon Diola passe sa vie à capitaliser du bétail afin d'assurer sa renommée posthume grâce à de somptueuses funérailles. De nos jours encore, on expose près de la dépouille du chef de famille non seulement les cornes des bêtes tuées à l'occasion de son décès, mais aussi celles de tous les bœufs qu'il avait lui-même sacrifiés de son vivant et qui décoraient sa case. Au besoin, on emprunte pour sauver la face...

Aussi est-ce déshonorer la famille que d'échanger des bœufs contre de l'argent et le GO responsable de l'approvisionnement du Club Méditerranée du cap Skirring s'enlise souvent dans des palabres kafkaïennes où la société diola se montre résolument hermétique aux charmes de notre société de consommation, pourtant représentée par son super-champion.

En général, le Diola ne tue pas l'animal : il le sacrifie. Il existe une hiérarchie des animaux selon leur importance lors des sacrifices : les bœufs pour les cérémonies exceptionnelles ; les porcs pour les cultes de portée moyenne ; les chèvres pour certains petits sacrifices rituels liés à la structure d'un *bëkin* puis, loin derrière, les moutons, importés récemment par les musulmans, et les poules, matières des offrandes tout à fait communes. Le tout est de bien nourrir le fétiche suivant son rang avec les âmes du riz, du vin de palme ou du sang répandues sur l'autel.

Quant au succès du sacrifice, il dépendra surtout du discours de l'officiant, puisqu'un proverbe diola affirme que « c'est la bouche qui crée le fétiche » *(butum akenemu bëkin)*. Ici, comme partout en Afrique, pouvoir et importance du verbe.

Le gardiennage des troupeaux était autrefois (il l'est encore dans certains villages isolés comme Effok ou Youtou) le fait des jeunes garçons et des vieillards trop âgés pour manier le *kajendo*. Aujourd'hui, avec la vogue de l'école, les troupeaux sont le plus souvent confiés aux pasteurs peuls qui conservent le lait comme rétribution.

Palais de terre

L'habitat reflète les préoccupations essentielles : importance des greniers à riz (collectifs ou individuels), importance des espaces ou même des pièces *(hutung)* réservés au bétail qui vit complètement en symbiose avec l'homme.

Le village, disposé en nébuleuse, n'est en fait que la juxtaposition de fermes familiales autonomes ; conception qui exprime, une fois de plus, un individualisme à toute épreuve. Un bouquet de fromagers, émergeant des rizières et des palmeraies, signale l'existence des premières habitations : lourdes chaumières aux toits bas qui les font ressembler à de mystérieuses tortues semées dans un dédale de clôtures, de bananeraies et de petits chemins ravinés. D'un village à l'autre, l'architecture des grandes cases d'argile, ces « palais de terre » si chers à André Malraux, présente d'infinies variétés (cases à impluvium, à colonnades, à étages...) sur une base toujours identique : cour intérieure plus ou moins fermée *(hank)*, centre de la vie collective, autour de laquelle s'organise tout un ensemble de chambres et de réserves *(gutep)*. Chaque groupe familial (concession), dispose de sa propre autonomie avec ses terrasses en galeries et ses jardins privés *(kafat)*, plantés de maniocs et de bananiers.

Exemple unique en Afrique (il en existe paraît-il en

Nouvelle-Guinée), la « case à impluvium » est un grand fortin circulaire couvert d'un double toit dont l'un, en forme d'entonnoir, récolte l'eau de pluie conservée par la communauté en prévision de la saison sèche. Ainsi l'ouverture centrale joue un double rôle de réservoir et d'éclairage. Filage du coton, tressage des fibres de palme, cuisine et palabres arrosées de *bunuk* se déroulent dans la galerie circulaire intérieure. Entre chaque bloc plafonné servant de chambre, d'étable ou de réserve, des couloirs conduisent aux loggias extérieures et aux jardins. Toujours cette ambivalence propre à l'habitat diola : la vie dans l'impluvium forme un tout indissociable, et pourtant chaque femme a son foyer et ne cuisine que pour son mari et ses enfants ; chaque homme possède sa chambre, sa terrasse et son grenier. L'art d'être indépendant et de vivre en société.

Suspendu près de la grande porte, un tronc de rônier évidé sert de ruche et évoque les temps anciens où les abeilles représentaient une arme redoutable contre toute incursion ennemie. Habituées à l'odeur du groupe, elles ne s'acharnaient en effet que sur les étrangers et provoquaient d'homériques débandades. Une trentaine de personnes vivent dans les plus grandes cases, avec tout le bétail et les réserves indispensables ; çà et là pendent les objets qui font partie de l'environnement diola : poteries, vanneries, instruments de chasse ou de pêche, outils agraires, *kandab* pour grimper récolter le vin de palme...

A Énampore, l'une des plus belles cases à impluvium appartient au vieux Manga. Devant l'apparition des inévitables minibus à l'orée de son univers de palmeraies et de rizières, il s'est efforcé de préserver son intimité tout en gonflant son pécule : sur l'un des contreforts extérieurs, une superbe affichette commence par « amis touristes » et se prolonge en un savant barème établi au pourcentage des envahisseurs et des photos-souvenirs escomptées.

Il faut se perdre dans Mlomp pendant qu'il est encore temps. Petites pistes qui serpentent entre des murs de terre rouge, entrées monumentales aux colonnades ciselées, escaliers et vérandas, tout une architecture qui évoque certaines villes maliennes comme Mopti ou Djenné, mais avec quelque chose de plus brouillon et de plus inspiré ; comme le reflet

Case de passage à Koubalan ; case à colonnes à Mlomp ; →
case à impluvium à Énampore.

d'un animisme primordial où les grands fromagers semblent étrangement s'intégrer aux colonnades et à tout cet ensemble compliqué de galeries et de ruelles.

Les cases à impluvium ont déjà presque toutes disparu. Leur aspect de forteresse et leur taille ne correspondent plus à l'évolution de la société diola. Il n'en reste que quelques vestiges à Éloubaline, à Séléki. A Énampore, les villageois ont construit une case-musée pour recevoir les visiteurs de passage : accueil et repas traditionnel à 500 francs CFA la nuit.

Le savant équilibre que ménageait l'habitat diola entre individualisme et vie communautaire est déjà rompu par la disparition progressive du *hank*. Chaque famille conjugale *(butog)* vit de plus en plus « à la *tubab* » et aspire à une plus grande autonomie. D'où la naissance de cases indépendantes plus petites, une caricature de l'habitat européen avec ciment, toit de tôle et revues parisiennes pour tapisser les murs (le pape y côtoyant de Gaulle ou Brigitte Bardot).

Bientôt les villages diolas ne seront plus que des lotissements sans âme, aux stricts alignements, où chacun possédera sa parcelle. L'administration a déjà commencé à « lotir » Thionck-Essyl et Koubanao, et les villageois abandonnent leurs vieux quartiers si pleins de vie et de mystère pour s'installer au milieu de vastes plaines aménagées où pourront éclore tous les problèmes liés à la ville. Quand on leur demande pourquoi, ils répondent : « C'est le progrès. On aura chacun notre parcelle, il y aura moins de problèmes. »

Liberté, égalité, fraternité

L'anarchisme fondamental et la volonté d'indépendance ne permirent jamais à un État diola de se constituer, ni à une quelconque administration régulière, coloniale ou autre, de s'implanter sérieusement. Abrités derrière leurs marigots, réfugiés dans leurs profondes forêts où ils s'enfuyaient à la première alerte, défiant les colonnes égarées dans un pays rendu impénétrable par l'absence de pistes ou le labyrinthe des rizières et des bras de mer, les Diolas furent-ils jamais colonisés ?

L'histoire de la Basse-Casamance entre 1836 et 1914 est jalonnée d'un nombre incroyable de traités, chaque village nécessitant une convention particulière. Les affaires d'un village ne concernant pas ses voisins, chaque opération militaire s'effectuait ainsi dans l'indifférence totale des populations environnantes. De village à village, la vendetta était permanente et l'union partielle ne se faisait que contre l'ennemi commun, mandingue ou français.

Au village de Kabrousse, en 1979, la hache de guerre n'était pas enterrée entre les deux quartiers de Nialou et de Mossor, voisins de cinq cents mètres. L'immémorial contentieux portant sur une histoire de fétiches n'a cessé de s'enrichir d'apports contemporains beaucoup plus terre à terre : tendances politiques (l'un vote PDS, l'autre PS), quotas d'emplois dans les villages touristiques, emplacement de l'école ou du dispensaire...

Cet esprit égalitaire et individualiste est encore très perceptible à l'heure actuelle. Aucune population n'est à la fois si frondeuse et si disponible, retranchée derrière son passé et ses traditions mais réceptive aux idées nouvelles, pour peu qu'elles ne lui soient pas imposées.

Des rois sans royaume

Grands prêtres, boucs émissaires ou clochards sacrés ? L'ambiguïté du statut des *ëyi* au sein d'une société profondément anarchique n'a fait que s'accentuer avec l'introduction de nouveaux pouvoirs : administration, école, animation rurale, islam, christianisme...

Le terme *ëyi* a été souvent traduit par « roi », mais il s'agit plutôt d'un féticheur suprême entouré de mystères et d'interdits qui le condamnent à une totale inactivité temporelle. Sorte de paratonnerre destiné à canaliser les vengeances surnaturelles, il assume la responsabilité collective du village devant les fétiches. Prisonnier d'une fonction aussi ingrate que sacrée, pour laquelle il est tout à la fois craint, méprisé et indispensable, le « roi » doit donc être tenu à l'écart du reste de la société.

Lorsqu'il accède au statut royal, choisi par le Conseil des Anciens, le nouveau titulaire est pleuré par sa famille, comme s'il mourait. Car c'est bien une sorte de mort qui l'atteint, la ruine de son existence antérieure. Confiné dans le bois sacré, il ne doit plus revoir ni ses épouses, ni ses enfants, ni ses rizières. Les contacts avec ses sujets lui sont désormais interdits, tout comme de satisfaire en public un quelconque besoin naturel : manger, boire, se moucher, dormir... Ses rizières sont cultivées par les villageois qui ne lui donnent que le strict nécessaire à sa subsistance. Ces dernières années, quelques droits finirent par lui être concédés, comme recevoir quelques grands initiés faisant partie de sa « cour », ou même s'approprier des épouses en les désignant de son sceptre de paille.

Certains de ces rois eurent de tristes destins. Tel Afildio Manga, roi des Bandial, qui résidait à Énampore et perdit petit à petit tout crédit auprès de ses fidèles avant de perdre lui-même la tête. Il eut en effet contre lui toute une coalition d'événements et de coïncidences : proximité de Ziguinchor, centre urbain important responsable d'un brassage des ethnies et de tensions modernistes peu propices au maintien des valeurs traditionnelles ; assauts des religions monothéistes bien décidées à s'implanter dans ce fief de l'animisme ; mésaventures personnelles insurmontables, comme l'impossibilité d'obtenir une progéniture ou l'échec d'une série de sacrifices destinés à faire tomber l'eau du ciel (malgré l'immolation de taureaux noirs aux cornes spécialement désignées) ; enfin, quelques fugues en ville qui le poussèrent à transgresser la sacro-sainte règle de l'isolement... Bref, il termina ses jours, abandonné de tous, ses sujets refusant de travailler dans ses rizières, de réparer sa case et de participer à ses sacrifices *(kuwasen)*.

La plupart des rois diolas contemporains échappent à semblables déchéances, mais voient leur puissance entamée par le renforcement du régime administratif sénégalais et la poussée d'organismes nouveaux (coopératives, assemblées locales). C'est maintenant à eux de s'intégrer dans un système où leur présence paraît de plus en plus anachronique. L'exemple du roi d'Oussouye, qui tenta de jouer le jeu démocratique en assumant pendant quatre ans la fonction de conseiller municipal, n'est guère encourageant : il ne put qu'assister, impuissant, à la démolition au bulldozer, pour des raisons de salubrité, du quartier le plus ancien du village, espace sacralisé où se trouvaient de nombreux *bëkin*. Son fils, André Sambou, après avoir voulu « travailler dans le tourisme », prépare le monitorat d'éducation physique à Thiès.

Si donc certains *ëyi* conservent quelque autorité morale et religieuse, beaucoup ne sont plus que des figurants et ne retrouvent un semblant de prestige que sous la plume des agents de voyage ou à l'occasion de « visites officielles ». C'est alors, pour ces fantomatiques rois-prêtres d'une église animiste chancelante, l'ultime occasion de revêtir la grande tenue d'apparat et de coiffer le symbolique bonnet rouge. Entourés d'une maigre cour de vieillards, dernier carré de leurs fidèles, ils semblent attendre la photo-souvenir ou la poignée de main démagogique qui leur rendra quelque importance.

La reine des Tubab

C'est ainsi qu'est souvent désignée par les Casamançais la malicieuse reine Sybeth, petite féticheuse du quartier de Siganar près d'Oussouye, dont l'audience populaire est presque nulle mais qui sut si bien s'adapter à sa toute nouvelle clientèle. Véritable « produit vedette » des circuits touristiques, elle revêt ses plus beaux atours dès qu'un bruit de moteur se fait entendre à l'entrée du village et excelle dans l'art d'accorder audiences, accolades et photos suivant un tarif de reine. Malraux lui-même s'y laissa prendre et lui consacra quelques lignes magnifiques où il la compare à une reine mérovingienne puis à quelque exotique pythie : « Nous atteignîmes alors la région de la reine... » Un souvenir d'autant plus impérissable que Sybeth eut l'étrange inspiration d'invoquer feu le général de Gaulle en consultant ses oracles. Sybeth vient de mourir à son tour, mais sa remplaçante est déjà en poste.

Alinsitouë, Jeanne d'Arc de Casamance

On parle beaucoup moins d'Alinsitouë, jeune prophétesse martyre qui leva l'étendard de la révolte contre l'occupant européen, cristallisant autour de son nom un vaste mouvement populaire à travers tout le pays floup. Alinsitouë naquit aux environs de 1920 dans le quartier de Nialou du village diola de Kabrousse. En 1940, la défaite militaire française suivie de l'occupation partielle et bientôt totale du territoire

Taxi-brousse
sur une piste
de Casamance.

Page de droite :
berger peul.

Pirogues devant
l'île de Karabane.

métropolitain provoqua un ralentissement des échanges entre la France et ses possessions d'outre-mer. Le gouverneur général Boisson avait rejeté le Sénégal dans l'orbite de Vichy et entraîné un sévère blocus maritime des Alliés. Le pays fut asphyxié, surtout le Nord, beaucoup trop spécialisé dans la culture de l'arachide. Aussi l'administration coloniale se tourna-t-elle vers le « grenier du Sénégal ». Les réquisitions en Basse-Casamance furent d'autant plus mal accueillies qu'elles portaient sur le riz et le bétail, éléments incessibles de l'univers diola. Les denrées réquisitionnées étaient « payées à vil prix, à moins du tiers de leur valeur, ceci sous la menace ». En octobre 1942, les habitants du village de Kagnout se virent signifier que le bétail exigé par la réquisition « serait fourni ou le village incendié ». Quant au roi de Mlomp, il fut incarcéré à Ziguinchor pour n'avoir pas livré les 85 têtes de bétail exigées par les services du ravitaillement.

C'est dans ce contexte houleux, alors que la Basse-Casamance gronde sous le poids des impôts, des injustices et des exactions, que surgit la jeune prophétesse Alinsitouë. Très vite, l'administration coloniale prend peur devant les foules drainées par son mouvement messianique et lui attribue la paternité des révoltes qui naissent un peu partout. La répression ne fait qu'accroître l'influence d'Alinsitouë, pendant que les villageois lèvent une armée de fortune de quelques centaines d'hommes dotés d'un armement hétéroclite : lances, sagaies, arcs et flèches, et parfois fusils de traite. Mais c'est une armée qui connaît à fond le pays. Aussi le commandant de cercle de Ziguinchor décide-t-il de se livrer à une démonstration militaire à valeur exemplaire contre le village de Kabrousse où se trouve la maison de la prêtresse. Mais Alinsitouë demeure introuvable. Un ultimatum est alors lancé à la population : le village sera incendié et ses habitants expulsés s'ils ne livrent pas la cachette de la jeune femme. C'est alors qu'Alinsitouë, « fort jolie femme d'environ vingt-cinq ans, au geste élégant et à la parole facile », sortit du bois sacré et se dirigea, en compagnie de ses suivantes, vers ceux qui devaient l'emmener.

Alinsitouë fut déportée à Saint-Louis, puis à Tombouctou. Un voile d'oubli tomba sur elle et, aujourd'hui encore, lorsqu'on évoque son nom, l'administration semble avoir pour consigne de se taire. Il est possible qu'Alinsitouë soit toujours en vie, âgée d'une soixantaine d'années.

GO, GM et gentils Diolas

C'est à cinq kilomètres de Kabrousse que choisit de s'installer, trente ans plus tard, le Club Méditerranée. Surprenante ironie du sort : au fougueux commandant de cercle a succédé une toute nouvelle colonisation, pacifiquement commerciale, pour laquelle « tout le monde il est beau, tout le monde il est gentil ».

Les Diolas ont-ils le style Club ? Il faudra bien qu'ils rentrent dans le moule et deviennent les serviteurs (peut-être un jour promus « gentils organisateurs » s'ils s'intègrent bien) d'une société où tout est programmé, même la gentillesse et l'amitié.

Un des spectacles les plus étonnants qu'il m'ait été donné de voir est celui du « personnel local », perché tout en haut de l'amphithéâtre, regardant une soirée d'animation dans le genre Alcazar-French-cancan, avec play-back, paillettes et travestis... Quelques rires, mais surtout beaucoup de gêne. Il est difficile de passer de l'ambiance coloniale à la « décontraction-monokini-grande bouffe » que représente le Club. Boutiques, salons de coiffure, jeux, animation, tout est prévu dans cette tour d'ivoire d'où les « gentils membres » n'émergent que pour sillonner joyeusement la brousse et ses villages clochardisés.

Ici, Alinsitouë est inconnue et, de toute façon, on en aurait fait une superbe GO-hôtesse d'accueil. Ou alors son nom servirait d'emblème au night-club. Peut-être aussi l'aurait-on utilisée pour vendre quelque excursion dans le style « pèlerinage au cœur du pays floup sur les traces de la grande prophétesse »... Pour le Club, tout est consommable, même les fiers guerriers de Kabrousse qui dansent autour de la piscine pour faire digérer les gentils membres. Comme il est étrange que cet *Ekong-Ekong*, danse de guerre ou de fête à laquelle tout le monde participe, ne paraisse qu'un simple divertissement aux yeux de spectateurs indifférents ! Quelques sauvages emplumés pour faire sentir, quand même, qu'on est en Afrique...

Fête à Koubalan.

Juillet 1978 : aide au Sahel
frappé de sécheresse.

Jeune Diola Floup de la région d'Effok.

Préparation du *niankatang*
(riz blanc arrosé d'huile de palme).

Tristes tropiques...

Kassoumaye Casamance, la pure, la joyeuse, l'indépendante. Kassoumaye une dernière fois, comme un mirage qui s'estompe. « L'humanité s'installe dans la monoculture ; elle s'apprête à produire la civilisation en masse comme la betterave », disait Levi-Strauss. Ici passe une ombre de nostalgie, celle des belles cases d'argile, des retours de rizières, de cette civilisation diola si sereine et harmonieuse. Déjà le poteau télégraphique surgit à côté du palmier. Bientôt, les lotissements, le goudron, la propriété et les supermarchés. Comment ne pas verser une petite larme écologique ? Ici comme partout, adieu châteaux, hameaux, troupeaux, ruisseaux, oiseaux... Adieu, grande Karabane, petite île à la somptueuse déchéance, déjà défigurée par les toits en tôle de l' « hôtel des Pères » (ancienne mission catholique transformée en hôtel) et bientôt travestie en Marina pour excursion-pédalo, pêche sportive et charter à voile. Il faut rentabiliser le site en cernant le produit, comme on dit dans le jargon touristique. Fini le vieux *wharf* désert et les pêches en pirogue avec mon ami Badji.

Tisserands et potiers disparaissent, et l'on boit de plus en plus le vin de palme dans des pots de chambre en plastique... ce fameux *bunuk* de bienvenue dont la récolte vient d'être taxée à 20 francs CFA le litre, pour la bonne cause de « préservation des forêts casamançaises ». Taxes sur les coupes de rôniers (7 500 francs CFA), de fromagers et même de la paille. Et pourtant le Diola ne détruit pas son environnement puisqu'il en vit : « Ce sont les gens du Nord qui font commerce de nos forêts avec le charbon de bois et les pirogues. A cause d'eux, on ne peut plus vivre sans taxes, on ne peut plus construire nos maisons. Ce sont nos grands-pères qui ont planté ces arbres ; que l'État taxe les exploiteurs qui pillent nos forêts et non les paysans qui vivent avec la nature et la respectent. » Voici quelques réflexions entendues du côté de Diembering ou d'Oussouye.

Au même moment, l'administration des Eaux-et-Forêts plante des *neem*, cet arbuste pousse-partout, sans âme, sans envergure, sans mystère et sans grande utilité. C'est cet avorton importé qui va prendre la relève des grands fromagers accusés, entre autres, de provoquer la conjonctivite. « En plus, leur feuillage sert aussi de nids aux oiseaux dont la présence rend malsain l'environnement » (article du *Soleil* prônant leur abattage systématique).

Le fromager n'est pas un arbre d'ordre et de lotissements et paraît condamné en même temps que l'animisme, le conseil des notables et les bois sacrés.

Plus à l'est, les pitons rocheux du pays bassari font office de réserve pour touristes ou ethnologues, un peu comme les « Masaïlands » du Kenya. Quelques agences se sont même spécialisées dans les safari-bassari avec participation facultative aux fêtes d'initiation. Et pourtant, étuis péniens et épines de porcs-épics dans le nez se font rares, au grand désespoir des photographes amateurs pour lesquels l'Afrique doit vivre nue et sauvage. Comme sur les cartes postales et les dépliants de voyages.

Vulgarité conquérante, bonne conscience et paternalisme agressif sont le lot de ces nouveaux consommateurs d'exotisme. On m'a souvent demandé, au Club Méditerranée ou ailleurs, s'il y avait encore des anthropophages dans les parages ou si les villageois étaient reconnaissants à l'Occident de leur avoir apporté le Progrès et la Médecine. Comment faut-il expliquer la prolétarisation du monde rural, le passage brutal d'une économie d'autosubsistance à un monde de salaires et de dépendance ? Malheureux touristes, si peu préparés et déjà bien déçus de n'entrevoir que quelques seins nus ou guerriers en armes ! Ils ont déjà bien assez de problèmes pour éviter dans leur savant cadrage les chaussures en plastique, la fripe de surplus, les pagnes *made in Holland*, les transistors, et « tous ces bidons rouillés où cette humanité vierge fait sa popote ».

SON EXCELLENCE EL HADJ THIERNO SEYDOU NOUROU TALL
GRAND MARABOUT DE L'AFRIQUE DE L'OUEST.

Old Man River

Il existe quelques pays où l'on dit « le Fleuve » sans préciser son nom. Pour les Noirs du sud des États-Unis, c'est le Mississippi. Ailleurs, le Nil, le Niger ou l'Amazone. Au Sénégal, c'est le Sénégal.

« Le premier fleuve des Noirs sépare les Azénègues avec leur désert, leur terre stérile, aride et sèche, de la terre fertile qui appartient aux Noirs. C'est chose merveilleuse que d'un côté de la rivière les hommes soient basanés, tirant sur le blanc, petits et secs, et que de l'autre côté, ils soient complètement noirs, de haute taille, la terre verdoyante et pleine de bois » (Valentin Fernandes, 1510). Depuis, les sables du désert ont submergé cette longue oasis et les années de sécheresse ont repoussé les forêts vers le sud. On se demande encore quel mirage, ou quelles fièvres tropicales, permirent à Mollien (1818) de s'écrier, en arrivant à Matam : « On croit voir les riches prairies de Normandie!... » Ici, tout est calciné neuf mois par an et seule la voie du Fleuve permet d'éviter la monotonie de la route goudronnée. Au fil de l'eau, le long des berges, en pirogue ou à bord du Bou-el-Mogdad qui remonte le Fleuve jusqu'à Podor, c'est toute l'histoire du Sénégal qui défile.

A travers les siècles, Maures, Toucouleurs, Soninkés, Peuls, Sérères, Wolofs se sont mêlés, attirés par le miracle de cette coulée de vie au milieu des sables. Dans ses *Chroniques du Fouta sénégalais*, Abbas Sow évoque la grande migration du conquérant peul Koli Tenguella : « Un jour que Koli était assis sous un arbre, en train de causer avec ses familiers, une perruche qui avait son nid sur cet arbre vint donner la becquée à ses petits et laissa tomber un grain de mil. Tous furent étonnés de la grosseur de ce grain... Koli donna l'ordre de suivre la perruche quand elle s'envolerait afin de savoir d'où il provenait. Le lendemain matin, la perruche prit son vol vers le nord. Koli et ses cavaliers la suivirent, mais un seul d'entre eux, un Peul, put aller jusqu'au bout sans la perdre de vue ; elle le conduisit au milieu des champs du Fouta. » Maintenant, ce sont les riverains du Fleuve qui s'envolent vers la France pour fuir la sécheresse.

« Aller au Fleuve », selon l'expression dakaroise, c'est encore faire un pèlerinage vers ce que le Sénégal compte de plus profond. Paysages austères, islam rigoureux, omniprésente chaleur... Rares sont les changements de décor qui rafraîchissent le voyage. Mais c'est ici que se retrouve le Sénégal historique, celui des Grands Empires, des castes et des brassages de population. On y croise toutes sortes d'individus et de modes de vie. Pasteurs peuls poussant devant eux leurs troupeaux de zébus ou de chèvres et qui, selon la tradition auraient lentement migré vers l'ouest depuis l'Égypte (un savant professeur sénégalais, Cheikh Anta Diop, a démontré que l'Égypte pharaonique était nègre et parlait une langue peu différente du wolof actuel...). Commerçants maures, toujours par groupe de deux ou trois, avec leur boubou bleu, leur peau tannée et leur barbe de patriarche. Tisserands et brodeurs toucouleurs assis à l'ombre de la mosquée. Paysans sarakolés vivant au rythme des crues du Fleuve et des mandats envoyés par les « Parisiens ».

Il y a un siècle, je...

Old Man River, l'âme du Fleuve, ce ne peut être que Seydou Nourou Tall, petit-fils du conquérant toucouleur El Hadj Omar. Sa date de naissance se situe entre 1862 et 1865, et les archives françaises le suivent depuis 1890, date à laquelle il était chargé d'ambassade auprès du roi de Sikasso. Peu de puissants de ce monde peuvent entamer le récit de leur vie active en disant : « Il y a un siècle, je... » Chef spirituel d'une confrérie musulmane, la Tidjaniya, répandue dans toute l'Afrique de l'Ouest, il se vit conférer par l'administration coloniale le titre – qu'il fut le premier et le dernier à porter – de « grand marabout de l'AOF ». Son rayonnement s'étend toujours de

Berges du fleuve Sénégal près de Podor.

l'Atlantique à Tombouctou. Et pourtant, qui pourrait s'en douter ? Certainement pas ceux qui passent devant sa modeste maison de Dakar. Encastrée entre les grands buildings du Plateau, elle semble aussi anachronique, mystérieuse et immuable qu'El Hadj Seydou Nourou Tall lui-même. Entouré d'une cour de *talibés* (disciples) qui font antichambre jusque sur le trottoir, il ne cesse de recevoir chefs d'État, ministres, marabouts grands et petits, venus des quatre coins d'Afrique pour lui rendre hommage et quêter quelques parcelles de la *baraka*, tout à la fois bénédiction, chance et charisme, héritée de son grand-père. El Hadj Seydou Nourou Tall est grand-croix de la plupart des ordres du monde. Il a été blessé à la cuisse vers 1870 en défendant l'empire de son oncle Ahmadou Cheikou. Il a environ cent dix-huit ans [1].

El Hadj Omar et « les Cavaliers du Fleuve »

Bien connu des écoliers français pour le long combat qu'il engagea contre Louis-César Faidherbe le long du Fleuve, El Hadj Omar est aussi le plus respecté et le plus chanté des grands conquérants sénégalais.

Cadet d'une famille toucouleur de caste *toroodo* (noble), El Hadj Omar Tall est né vers 1795 à Halwar, près de Podor, sur les bords du Fleuve. A vingt-trois ans, il se rend en pèlerinage à La Mecque, d'où il revient avec le titre de *hadj* et le mandat de khalife (lieutenant) de la confrérie tidjane pour le Soudan, chargé de convertir le « pays des Noirs ». Il séjourne un moment en Égypte, stupéfie les docteurs d'Al-Azhar par sa connaissance du Coran, puis se fixe à Sokoto (Nigéria) auprès de Mohamed Bello qui le comble de présents et lui donne en mariage deux princesses, dont sa propre fille.

C'est donc tout auréolé de vingt ans de prédications et de voyages qu'il revient sur le Fleuve, avec l'intention de créer un grand État islamique, un empire semblable à ceux qu'il a visités en Afrique noire et en Asie, capable de rejeter à la mer les Européens déjà établis sur les côtes du Sénégal et 'de la Guinée. Mais il est piètrement reçu dans son propre pays

1. S. N. Tall est mort en février 1980.

où les chefs toucouleurs, adeptes de la confrérie qâdriya, se défient du caractère révolutionnaire de la voie tidjane et surtout du nationalisme et de la doctrine égalitaire professée par le cheikh.

En 1852, une voix divine l'appelle à la guerre sainte : « Balaie les pays ! » Ses fréquentes révélations lui enjoignent de convertir les païens à l'islam et de convaincre les Peuls « hypocrites ». Les Bambaras sont traités de « païens immondes, au corps puant qui ne sera jamais propre ». La tradition orale du Mali garde un souvenir sanglant de ces conversions : « Leurs têtes furent tranchées d'un seul coup... pas même un ne toussa, d'autres grimpèrent aux arbres, on les fit descendre, d'autres furent brûlés dans un fourré, tous jusqu'au bout périrent de mort violente. » Les hommes sont tués, les femmes et les enfants emmenés en esclavage. Quant aux fétiches, ils seront détruits. Ainsi va le *Jihâd* (guerre sainte) « sur les traces du grand paganisme qui ne se convertira pas ».

Pour « balayer les pays » et les islamiser, le cheikh puise dans le réservoir toucouleur qu'il transporte de la vallée du Fleuve jusqu'au Soudan. El Hadj Omar n'hésite pas à pratiquer la politique de la terre brûlée : faire incendier les greniers à mil. En 1859, il fait mettre le feu à son village natal pour forcer la population à le suivre...

Pendant que les cavaliers toucouleurs portent la guerre sainte au Soudan, en France, le second Empire décide d'affirmer sa domination sur le Sénégal. Faidherbe choisit le Fleuve comme axe de pénétration vers le Niger et commence à y construire une série de forts.

El Hadj Omar, devant le danger d'être coupé de ses bases, quitte sa forteresse de Dinguiraye pour revenir vers l'ouest. Ses troupes s'attaquent en 1857 au fort de Médine, à la pointe de la poussée française vers l'intérieur. Les *talibés* se jettent par vagues furieuses contre les murs du fort français. La montée des eaux du Sénégal permet à Faidherbe d'arriver avec sa canonnière par le Fleuve et de prendre à revers les assaillants. « Les Toucouleurs montrèrent jusqu'au dernier moment une audace incroyable ; poursuivis, cernés, ils ne faisaient pas un pas plus vite que l'autre et se laissaient tuer plutôt que de fuir » (Faidherbe).

El Hadj Omar repart une nouvelle fois vers l'est. Pour protéger ses arrières, il signe avec Faidherbe un traité reconnaissant l'hégémonie française sur le pays du Fleuve, en aval de Médine. Ses troupes regagnent Nioro et balaient toute la boucle du Niger d'amont en aval jusqu'à Ségou, où Omar fait exécuter le dernier roi bambara (1861). Prétextant alors que le roi peul du Macina, musulman comme lui, fait bon ménage avec les païens, il envahit son royaume et pousse son avance jusqu'à Tombouctou.

El Hadj Omar est alors à l'apogée de sa puissance. Ce n'est plus le marabout entouré de quelques *talibés*, mais l'Almany, le Commandeur des croyants, maître absolu d'un empire s'étendant sur mille kilomètres d'est en ouest. A Saint-Louis, les traitants européens prennent peur, et Napoléon III doit intervenir en personne. Faidherbe, de retour à Saint-Louis, comprend tout de suite que, seule, une vaste coalition pourra venir à bout d'El Hadj. La longue marche d'Omar touche à sa fin : acculé dans sa forteresse d'Hamdallahi par l'armée des coalisés, le cheikh décide une sortie et, suivi de deux cents fidèles, se fraie un chemin jusqu'aux falaises de Bandiagara. Il pénètre dans la grotte de Degembéré, et bientôt, tout un pan de la montagne s'écroule. Le cheikh se fit-il sauter avec sa réserve de poudre ? Lorsque les coalisés atteignirent la grotte, la poussière et la fumée une fois retombées, ils purent voir, là-bas, dans la plaine, « un cavalier immense et vêtu de blanc galoper vers l'horizon et disparaître dans le ciel ».

Harlem sur Seine

« Il est 5 heures, Paris s'éveille... » et c'est bientôt le grand ballet des balais de nos petits matins urbains. Fantômes anonymes en passe-montagnes, les travailleurs immigrés arpentent les trottoirs souillés et vident les poubelles. Ombres de l'aube indécise, ils hantent nos retours de nuits blanches. « Pendant que le travailleur africain vient vider les poubelles de Paris, le patronat français va se reposer sous le soleil sénégalais » (Sally Ndongo). Qui connaît le long voyage des gens du Fleuve, ces Toucouleurs et ces Soninkés partis de Matam ou de Bakel pour se retrouver juchés sur nos bennes à ordures ?

Là-bas, au pays, le bruit des sabots s'est éteint. Le long du

Le passage de la frontière par les émigrés clandestins.
Photo du film *Bako, l'autre rive*.

Fleuve, épuisé par la sécheresse, on se souvient des glorieuses chevauchées d'El Hadj Omar ou de Mamadou Lamine. Mais l'heure est à l'émigration et à l'attente des mandats venus de Dakar ou de France. Sur les berges, quelques jeunes filles lavent le linge et remplissent des calebasses. Chacune espère recevoir bientôt des nouvelles du fiancé, celui qui est parti gagner de quoi payer la dot et la future maison en dur du ménage. Des enfants s'ébattent. Le village semble désert, écrasé sous une chaleur sèche qui décolore le ciel. Peu d'hommes jeunes, mais des groupes de vieillards en palabre devant la mosquée, sous les arbres. On parle de ceux qui sont partis, de ceux qui vont partir ou de ceux qui reviennent bientôt. A Golmi, au cœur du pays soninké, sur 2 000 habitants, 300 sont en France... Ici, pas une maison qui n'ait son « Parisien », pas un adulte de quarante ans qui n'ait « fait » la France. Le village entier vit au rythme du courrier hebdomadaire, tourné vers l'extérieur. Parce que, comme le dit le proverbe soninké : *dala gune mpasu kale nga* (séjourner à l'étranger vaut mieux que mourir).

Barrage sur la Tahouey-
fleuve Sénégal.

Une usine près de Richard Toll.

Le pont Faidherbe
et l'île de Ndar (Saint-Louis).

De la brousse aux bidonvilles

Marins, d'abord recrutés comme soutiers ou comme laptots sur les navires de guerre puis sur les cargos, commerçants itinérants, échangeant le sel du désert contre des noix de cola de Côte-d'Ivoire et raflant au passage quelques conversions à l'islam, *navetan,* ouvriers agricoles saisonniers... les gens du Fleuve ont toujours été de grands voyageurs. Mais, autrefois, l'émigration restait temporaire et orientée vers le retour au pays. Après la première étape de Saint-Louis, simple anti-chambre de la vie urbaine, c'était le départ pour Dakar. En 1960, on estimait déjà à près de 40 000 le nombre des Toucou-leurs de Dakar : fonctionnaires, propriétaires de petites bou-tiques, vendeurs de journaux, domestiques, serveurs de res-taurants, garçons de café, manœuvres... et chômeurs. La règle d'or pour les commerçants reste de tenir boutique le plus loin possible du berceau familial : comment refuser une boîte de tomate au moindre arrière-petit-cousin ? Bientôt ce sera la Côte-d'Ivoire, le Dahomey, puis le Zaïre (trafic du diamant) d'où les « Congolais » du fleuve Sénégal sont expulsés par le général Mobutu Sésé Sèko dans les années soixante-dix.

Aujourd'hui, la France a supplanté toutes les autres desti-nations. Chaque couche de la société toucouleur ou soninké est affectée par cette hémorragie : marabouts, nobles, esclaves, artisans...

Voici le témoignage recueilli par Adrian Adams dans un village soninké (1977). Il s'agit d'un chef de famille dont trois des fils vivent à Paris. Le quatrième est à Dakar, où il attend de partir pour la France. Ce vieil homme évoque, comme s'il y vivait encore, un passé aux résonances sereines : « Dans notre pays, avant l'arrivée des Blancs, on ne sait que faire la culture. Quand on fait la récolte, on met le mil dans le grenier ; c'est avec ça qu'on vit... Parmi les hommes, il y en a qui sont culti-vateurs, il y en a qui sont tisserands. On s'habille avec ça ; avant que les Blancs n'arrivent, on ne connaissait pas d'autre tissu... On porte des boubous et des bonnets. On a toujours nos chapelets avec nous, puisque quand Dieu nous a créés, Il nous a dit de Le suivre. On va à la mosquée, pour la prière... Nous remercions Dieu, nous demandons la pluie ; il pleut, on plante le mil... Dieu est toujours bon. C'est ça nos habitudes. Après, les Blancs sont arrivés, ils nous ont dit de payer l'impôt... On ne peut pas refuser. Puis l'indépendance est venue. Les Blancs sont partis chez eux ; nous sommes restés chez nous. Il n'y a pas de travail ici ; on est obligé de partir en France. On va travailler en France ; si on trouve de l'argent, on rentre avec, pour pouvoir payer l'impôt... »

Un autre témoignage, celui de ce chef de famille, parti comme commerçant en 1958 pour le Congo (futur Zaïre) et refoulé en 1972 : « J'ai fait vingt ans au Congo, je n'ai rien ramené. Le gouvernement a tout retenu. Il nous a refoulés, il ne nous a rien donné. On se débrouille pour se nourrir, avec nos propres forces. On n'a pas de métier ; on n'a pas de machines, pas d'usines, pas de bateaux. C'est pourquoi on se déplace pour aller travailler ailleurs... Il y a des maisons où il y a cinq hommes, personne n'est là, sauf les femmes. Les maisons seront détruites. On est obligés de partir, puisqu'on est pauvres. Quand on part, on laisse des petits enfants ; quand on revient, ils ont grandi, ils ont des barbes, certains sont morts. On ne trouve rien... Tous nos fils sont à l'étranger. Le pays sera détruit. »

Les gens du Fleuve sont maintenant plus de 70 000 en France, dont une majorité de Soninkés. On estimait, de source officielle, en 1968, que 80 % de l'immigration était le fait de clandestins qui se faisaient passer pour des touristes et régularisaient ensuite leur situation auprès de l'Office national d'émigration. Le voyage donne lieu à un véritable racket, où intermédiaires et passeurs spécialisés dans cette nouvelle « traite des Noirs » se relaient autour de leur victime (presque toujours analphabète et parlant mal le français). Une fois à bon port, c'est le tour des logeurs et des patrons d'exploiter un peu plus les malheureux clandestins. Labyrinthe des filières, passeurs qui disparaissent avec le prix du voyage, taudis parisiens, cadences du travail à la chaîne ou ramassage des poubelles du petit matin, on est bien loin de l'enthousiasme et des rêves du départ. Quant aux anciens « Parisiens » de retour au village, ils ne racontent pas toute la vérité et brodent sur une réalité sordide. Question de prestige !

A Paris, le foyer fonctionne comme un véritable phalanstère où le village est reconstitué à des milliers de kilomètres du

Fleuve, avec ses règles et ses hiérarchies. Le nouveau, le « petit frère », est accueilli et pris en charge par la communauté jusqu'à ce qu'il trouve du travail. Certains foyers se cotisent même pour faire venir leur marabout, chargé de leur garantir santé, réussite et non-expulsion... J'ai voyagé avec l'un de ces saints hommes, qui n'abandonna pas son Coran pendant les cinq heures de vol entre Dakar et Roissy. A l'arrivée, ayant posé un pied prudent sur le tapis roulant et l'ayant retiré aussitôt, sa babouche jaune continua seule le voyage. Je n'oublierai jamais son regard chargé d'inquiétude et de résignation.

Quel avenir pour le fleuve Sénégal ? Jadis, les chroniqueurs arabes l'avaient surnommé le « Nil », tant il leur avait paru fertile et peuplé, comme « une longue oasis au milieu du désert ». Pour lui redonner vie, on attend beaucoup du colossal (800 milliards de francs CFA) projet d'aménagement de l'OMVS (Organisation pour la mise en valeur du fleuve Sénégal, commune à trois pays, le Mali, la Mauritanie et le Sénégal) : construction de barrages, amélioration de la navigabilité du Fleuve et installation de ports modernes à Saint-Louis et à Kayes. Une agriculture irriguée intensive, à double récolte annuelle, serait alors possible sur près de 500 000 hectares, et des industries de transformation des produits agricoles permettraient de réanimer les anciennes escales. Ce vieux rêve, qui semble devoir se réaliser bientôt avec le concours du PNUD et de la Banque mondiale, sera-t-il la planche de salut des Toucouleurs et des Soninkés ? Peut-être, s'il ne se voit pas transformer en ouvrier agricole enchaîné à un système de production étatisé où les cultures d'exportation seraient une nouvelle fois privilégiées au détriment des cultures vivrières. L'expérience marginale du village de Boundoum sur le Fleuve et celle des coopératives touristiques de Casamance semblent prouver que l'autogestion villageoise n'est plus une solution utopique.

La capitale déchue

C'est en tout cas de ce projet que dépend la résurrection de Saint-Louis. Asphyxiée par la mort du Fleuve, détrônée par Dakar (1956), la « Venise noire » de l'embouchure a bien mal

Village de pasteurs peuls. Région du Fleuve.

vieilli... Un peu comme un théâtre désaffecté en quête de personnages pour ranimer le passé.

La plus ancienne ville française d'Afrique compte 7 000 habitants en 1786, dont 2 400 libres ou mulâtres, 660 Européens (armée et administration) et un peu plus de 3 000 captifs de case. Le gouverneur ne règne alors que sur l'île centrale et les Wolofs l'appellent *borom Ndar*, maître de *Ndar*, nom traditionnel – toujours en usage – de Saint-Louis. En

1789, la population présente un cahier de doléances aux états généraux. Au cours du XVIIIe et du XIXe siècle, se développe un type original d'architecture lié à la traite et à la présence de la bourgeoisie signare : boutique et logement des domestiques au rez-de-chaussée, « habitation » à l'étage, avec balcons, balustrades et vérandas. Les grandes familles métisses (Dodds, Guilabert, Valantin, Crespin) ont longtemps tenu le haut du pavé et pesé sur les destinées de la Colonie jusqu'aux premières années de l'indépendance. Fraîchement débarqués de Bretagne ou de Gironde, les Européens arrivaient à Saint-Louis comme négociants, commis ou militaires, la plupart du temps célibataires. Les périls du voyage et le caractère débilitant du climat ne permettaient pas à la blanche épouse de suivre son mari dans son aventure sénégalaise. Les mariages « coutumiers » furent d'autant plus nombreux que quelques jolies femmes peuls, capturées comme esclaves dans le haut fleuve, venaient recouvrer leur liberté à Saint-Louis. Telle fut Fatou Gaye, l'héroïne de Pierre Loti dans le *Roman d'un spahi*. Loti éprouvait une impression d'ennui absolu pour le « morne et sublime décor de Saint-Louis, plongé dans une mélancolie éternelle ». Dans son journal, il évoque cette île pleine de fatalité douloureuse : « Derrière moi, la triste ville blanche de Saint-Louis s'éloigne, avec ses maigres palmiers jaunes et ses sables... Je perdis de vue ce coin d'Afrique où j'avais si vivement aimé et si vivement souffert. »

Les métis sont très vite assez nombreux pour constituer une véritable classe sociale. Plus tard, leur statut d'« habitants » ou de « zoreilles » (par opposition aux « indigènes ») leur confère un titre de noblesse. Constitués en une solide oligarchie, ceux que l'on surnommait « les grands hommes » dominaient au conseil colonial et le député du Sénégal ne pouvait être qu'un des leurs.

En 1914, Blaise Diagne, un Noir de Gorée, sonne le glas de la prépondérance des grandes familles saint-louisiennes en arrachant le siège de député du Sénégal : une gifle pour cette société fermée, fossilisée dans une ville en déclin. C'est aussi le signal de l'exode vers Dakar ou vers la France.

En 1783, les métis constituaient 13 % de la population

saint-louisienne. En 1925, cette proportion était tombée à moins de 2 %. A l'heure actuelle, elle est presque nulle. Toute l'île centrale trahit cet abandon et cette lente décadence. Un décor de carte postale jaunie, cette place Faidherbe semblable à celle d'une petite sous-préfecture maritime dont le port serait tombé en désuétude. Le tour de la ville en calèche est une épreuve désespérante, aussi gênante qu'un tour de manège quand on a passé l'âge. Prosopis, cocotiers, arcades et colonnades ne peuvent masquer le délabrement général. Sur de nombreuses façades, le béton remplace les balcons de bois et les rues étroites en damier semblent désertes. Meilleur point d'observation : l'hôtel de la Poste, en face du pont Faidherbe. C'est le premier hôtel de la ville. Mermoz y a dormi une nuit, à l'époque de l'Aéropostale. Dans la grande salle à manger dont le plafond vient d'être repeint par Alphadio (flamants roses et pélicans sur fond de palmier au clair de lune), on découvre des souvenirs du prestigieux pilote, des trophées de chasse et une grandiose carte de l'AOF en couleurs qui semble ne déranger personne. De la terrasse qui domine la ville, vue plongeante sur la grande poste du plus pur style Exposition coloniale et, plus loin, sur les oiseaux qui remontent le Fleuve à la tombée de la nuit.

A Saint-Louis, il faut mettre pied à terre et aller chercher la vie dans les quartiers périphériques. Celui de Sor sur le continent et celui de Guet-Ndar, sur la Langue de Barbarie entre le Fleuve et l'Océan. Fief des pêcheurs de la Grande Barre, Guet-Ndar contraste avec la morne décrépitude de la vieille ville métisse. Les cases se pressent les unes contre les autres, tournant le dos aux alizés, bricolées avec de la paille, des nattes, des branches de filao, des boîtes de conserve et des caisses déclouées. Rien de solennel, de monumental ou de décadent, mais le spectacle de la vie au milieu des petites ruelles boueuses et des odeurs de poisson séché. Ici, tout vous interpelle, et pourtant Guet-Ndar a mauvaise réputation. Pour avoir le contact, rien ne vaut la journée de pêche en pirogue ou le partage en famille du riz au poisson institutionnel.

L'aventure ambiguë

Le soleil qui meurt

« Alors, je vous souhaite du fond du cœur de retrouver le sens de l'angoisse devant le soleil qui meurt. Je le souhaite à l'Occident, ardemment. Quand le soleil meurt, aucune certitude scientifique ne doit empêcher qu'on le pleure, aucune évidence rationnelle qu'on se demande s'il renaîtra. Vous, vous mourez lentement, sous le poids de l'évidence. Je vous souhaite cette angoisse comme une résurrection. »

Dans son *Aventure ambiguë* (1961), Cheikh Hamidou Kane pose ainsi le problème du déchirement entre plusieurs civilisations. « Notre monde, dit-il, est celui qui croit à la fin du monde. » Qu'en est-il de notre Occident qui a perdu le sens du mystère, en même temps que ses racines profondes ? Une statuette africaine représente l'homme blanc avec deux ampoules électriques à la place des yeux...

Car c'est une aventure très ambiguë que de vivre entre le matérialisme sans âme de la civilisation industrielle et le mysticisme surréel du monde noir. Déchiré entre trois cultures, toucouleur, musulmane et française, Cheikh Hamidou Kane décrit, dans son roman poétique, pudique et grave, ce que les sociologues appellent l' « acculturation ». Terme impropre puisqu'il s'agit beaucoup plus de l'acquisition d'une double culture, d'un épuisant dédoublement de personnalité. « Je suis fatiguée d'être pendue à mi-chemin, mais où puis-je aller ? » écrit la poétesse nigérienne Mabel Imoukhuede. Angoisse des métamorphoses inachevées. Au contraire, un autre écrivain noir s'exclame : « Je ne passe pas mes nuits à me demander si je vais me réveiller Européen ou Africain ! »

Quant au président Senghor, il se désigne souvent lui-même comme un « métis culturel ».

Dr. Jekyll et Mr. Hyde

Métissage ? Pour la majorité des Sénégalais, il faudrait plutôt parler de double jeu tant les métamorphoses sont nombreuses chez un même individu au cours d'une même journée. Tout dépend des situations et de l'interlocuteur. Le fonctionnaire le plus européanisé (diplômes, costume-cravate, attaché-case et froideur administrative) n'est plus le même homme de retour au foyer. Dès qu'il enfile son grand boubou, il abandonne son enveloppe *tubab* et vous reçoit avec la plus chaleureuse et traditionnelle hospitalité. Toute la journée, ce même fonctionnaire aura joué un ou plusieurs personnages. Agressivité de façade, carapace des grands mots, ostentation, cachent une grande timidité : autant d'attitudes qui ne correspondent pas à sa personnalité profonde mais au rôle qu'il lui faut jouer. Celui qui passerait trop vite ne retiendrait que cette morne morgue, celle de la secrétaire, du fonctionnaire des PTT ou du serveur de restaurant. Ici encore, il faut aller voir de l'autre côté d'une panoplie acquise ou de l'interprétation d'un rôle. Hors de son cadre de vie, chaque Sénégalais se choisit un personnage ou une attitude et adopte le style qu'il croit le mieux adapté à son travail. Souvent un style importé. Au bureau, il faut avoir l'air *tubab*, c'est-à-dire brusque, pressé, affairé, et surtout très distant.

On peut tester ce côté « Dr. Jekyll et Mr. Hyde » dans la vie courante. Avec le policier sénégalais par exemple, tout s'éclaire si l'on a le temps de faire connaissance, de « dialoguer ». Et les contraventions s'effacent avec ce sourire qui est une des clefs du Sénégal. Même scénario pour demander un timbre : il faut savoir dire bonjour à la postière. Les secrétaires sénégalaises lisent *Nous Deux*, *Intimité* et les romans-photos d'*Amina*, où les belles idées de l'Occident sur l'amour, le féminisme et le mariage s'opposent aux traditions polygames. Il est un peu dommage que ce soit toujours le jeune-fils-étudiant - qui - revient - d'Europe - qui - tombe - amoureux - de - la - jeune-étudiante-future-nième-femme-de-son-père-polygame...

qui triomphe des réticences coutumières et permette à l'Amour de sortir vainqueur. Drame cornélien qui paralyse les machines à écrire et bouleverse les secrétariats. Le cinéaste Sembène Ousmane, ce Molière sénégalais, a très bien croqué, dans son film *Xala*, le personnage de la secrétaire bourrée de préjugés petits-bourgeois occidentaux, mais qui se révèle une merveilleuse femme d'intérieur. Autre cible favorite de Sembène Ousmane : les « hommes d'affaires ». Ceux que rêvent justement d'épouser les secrétaires. Dans son film, ils s'agitent frénétiquement comme à la parade et imitent leurs prédécesseurs français à la chambre de commerce. En revanche, leurs vrais problèmes sont bien sénégalais et c'est ce qui les épuise. Coincé entre mariage coutumier et dot d'importation (télévision, machine à coudre, réfrigérateur et derniers gadgets européens), le bourgeois sénégalais doit sacrifier aux fatidiques « trois V » – villa, voiture, virement bancaire – pour espérer plaire à sa belle, et surtout à sa belle-famille. La villa est le symbole des fascinants modèles occidentaux.

On parle beaucoup de négritude et d'authenticité, mais on est meublé en Lévitan-Louis XVI ou « Mobilier de France », avec combat de cerfs au clair de lune au-dessus du climatiseur. Aucun objet sénégalais, sinon quelques masques grimaçants ou biches de bois rouge, artisanat d'aéroport fabriqué en série par les *lawbe* (caste travaillant le bois et reconvertie dans la pacotille). La grande vogue actuelle pour les villas de luxe est au « parallélisme asymétrique » (dents de scie). Magie du verbe qui permet à quelques Européens dans le vent de concevoir la nouvelle architecture négro-africaine.

Dans *Xala*, Sembène croque toute une série de portraits savoureux : le chauffeur, le Maure *(Nar)*, le paysan-qui-descend-en-ville, le voyou des bas quartiers, la jeune étudiante intégriste qui refuse de parler français et de boire de l'eau « importée », le dandy des affaires et surtout ces mendiants, ces boiteux, ces lépreux, ces culs-de-jatte, toute cette cour des miracles qui grouille à l'ombre des buildings et que l'on appelle ici les « encombrements humains » (terme administratif). Ce sont eux qui, dans un dernier raz de marée cauchemardesque, digne de Buñuel, submergeront le malheureux ersatz d'hommes d'affaires et montreront à quel point il est

135

Sembène Ousmane
lors du tournage
d'*Emitaï*.

dérisoire de se croire hors de portée des réalités africaines.
Morale de la fable : rien ne sert de boire de l'eau d'Évian quand
les racines baignent dans le marigot... Des racines puissantes
qu'il ne faut surtout pas couper sous peine de mort sociale,
celle par laquelle on n'existe plus au village. Même le plus
individualiste des bourgeois européanisés ne fermera jamais
sa porte ni sa table à la famille, serait-elle représentée par le
plus lointain des arrière-petits-cousins.

A Dakar, en février 1963, un professeur de philosophie,
Alassane Ndaw, aujourd'hui doyen de la faculté des Lettres,
se demandait, lors d'une conférence, si l'étude des « accultu-
rés » ne montrerait pas que le plus important, c'est ce qu'ils
gardent de leur propre culture. Il évoque « l'affrontement
du regard blanc » et conclut : « L'image de l'Africain par les
ethnographes colonialistes, voilà la pire forme d'agression. »

Et l'acculturation ? Un bien grand mot et bien tendancieux.
Il laisse entendre avec paternalisme que la culture d'emprunt,
supposée supérieure, vient se loger dans le vide. Alors que
subsiste quelque chose de très fort derrière les vernis, les

complexes et les attitudes. Comme à cette soirée de gala, dite des Gauloises bleues (pourquoi pas « nos ancêtres les Gauloises »!) qui se tint au théâtre national Daniel-Sorano en 1977, la promotion des cigarettes brunes allant de pair avec l'élection d'une miss gauloise dakaroise. Première partie guindée et sans imagination du style patronage de province : le public des grands jours, celui des premières (smokings et boubous lamés) ainsi qu'un présentateur français plein d'entrain, sorte d'animateur pour clubs de vacances troisième âge ; suit le défilé classique des candidates, timides, figées et numérotées, essayant de marcher comme au cinéma. Rideau, entracte et redésolation... et, tout à coup, la petite étincelle, quelques battements de tam-tams, un des mannequins qui esquisse un pas de danse, et la foule qui réagit instantanément, bat des mains, se lève et participe enfin. Bas les masques et place à la fête africaine! Il n'y a plus de scène ou de salle, d'acteurs ou de voyeurs, mais un grand carnaval instantané où chacun vibre et s'exprime.

Joseph Ki-Zerbo, historien et homme politique, décrit avec ironie certains symptômes de dépersonnalisation : « On a vu des gens qui portaient des lunettes de soleil en pleine messe de minuit, on a vu des gens qui arboraient le casque colonial comme une promotion sociale... » Mais ce qui compte, c'est ce qui vit encore sous le crâne ou derrière les lunettes. De temps en temps, pourtant, les signes extérieurs d'une certaine fringale imitative submergent le visiteur. BMW, Mercedes et 604 sont un peu trop ostentatoires à Dakar. Vacances à Las Palmas, éducation européenne des enfants. On pense souvent à ce saisissant raccourci gastronomico-philosophique de l'écrivain camerounais Guillaume Oyono Mbia : « Mange ton camembert, c'est de la culture! » Les Sénégalais « arrivés » forment une caste de privilégiés, « une bourgeoisie platement, bêtement, cyniquement bourgeoise », selon la formule de Franz Fanon dans *les Damnés de la terre* (1962), qui poursuit : « Nationalisation, pour elle, signifie transfert aux autochtones des passe-droits de la période coloniale... des sommes importantes sont utilisées en dépenses d'apparat, en voiture, en villas. » Ces dernières, financées par des prêts bancaires de faveur, sont louées à des prix exorbitants aux ambassades ou aux organismes étrangers. Les fameux hommes d'affaires ne sont bien souvent que des « harkis » pour les sociétés européennes, des prête-noms ou des alibis devant la sénégalisation des postes. Confinés dans un rôle de couverture ou d'intermédiaires, ces « Nègres de service », selon l'expression d'Abdou Anta Ka, se voient comblés d'avantages pour prix de leur collaboration. Peut-être, mais au Sénégal, derrière les imitations, les abus et le népotisme, les grandes traditions de solidarité demeurent. Les privilèges de quelques-uns soutiennent le plus grand nombre, et chaque *borom* (celui qui possède) entretient toute une cour de parasites *(surgë)*. Autrefois, l'invité mettait la main à la pâte et participait aux travaux des champs. En ville, il se contente de faire partie de l'entourage de son protecteur, en espérant vaguement que celui-ci l'aidera à obtenir un petit poste de planton ou de téléphoniste. Il en résulte des antichambres de solliciteurs devant les bureaux et de curieux regroupements ethniques au sein des entreprises et des ministères...

Il faudra que je me démerdasse

A l'origine de la confusion et au premier rang des accusés : la langue. On oublie trop souvent à quel point l'enfant est frustré lorsque la langue qu'il parle en famille n'est pas la même que celle qui lui est enseignée. Alphabétisé et scolarisé dans une langue étrangère, bien qu'officielle, le jeune Sénégalais perd pied dès le départ. J'ai souvent vu à l'Université des étudiants changer de langue au cours d'une discussion. Lorsque l'émotion est trop forte, d'instinct ils abandonnent le français pour libérer leur sensibilité. Quant à l'homme de la rue, sorti des salutations usuelles : *bonsur sa wa, sa wa mersi* (qui font maintenant tout autant partie de la langue wolof que le *salamalekum* arabe), il s'empêtre souvent à mi-chemin entre un français désuet et l'argot nouvelle vague du dernier San Antonio. Ce qui donne parfois des préciosités grammaticales du genre : « Il faudra que je me démerdasse. » De temps en temps, le français est « wolofisé » par l'accentuatif *waay* : *sa wa waay* pour « ça va très bien ». Mais le plus spectaculaire reste les conversations « franlof » qui ont lieu au téléphone :

– Comment vas-tu mon frère ?

— Hé! tu sais... *mangi fi* quoi!
— Alors *? Mane ?* Paris *? Nexoon në ?*
— *Toroop* bien *sax!*
— *Naka* affaires *i ?*
— Ça marche. *Yaw nëk ?*
— *Man*, ça va... sénégalaisement.
— Hé Dossier *bi ma la waxoon... xam ngë.*
— Oui oui! *Man koy topoto.* Même *sax...* au moment précis *ngë...* appelé *më... man ko doon* étudié. Ça ira. *Du* problème.

Petit décodage :

mangi fi = je suis là
mane = je dis
nexoon në ? = ça t'a plu ?
toroop bien *sax!* = très bien même!
naka affaires *i* = comment vont les affaires ?
man = moi
bi ma la waxoon = dont je t'ai parlé
xam ngë = tu sais ?
man koy topoto = je m'en occupe
ngë appelé *më* = tu m'as appelé
man ko doon étudié = j'étais en train de l'étudier
du problème = il n'y a pas de problème

... Le tout ponctué de « en pagaille », « en quelque sorte », « mais dis donc », « c'est normal », et d'exclamations en wolof qui peuvent faire sourire les dompteurs bien français de la langue bien française... ceux pour qui les langues sénégalaises sont définitivement des dialectes et dont les préjugés sont immuables. Il faut savoir, pourtant, qu'un paysan sérère a un vocabulaire plus riche dans sa langue que son homologue berrichon et que certaines poésies et méditations peuls sur la mort et la résurrection atteignent des sommets métaphysiques.

Pour de nombreux linguistes sénégalais, l'alphabétisation devrait avoir lieu dans l'une des six langues nationales (wolof, pulaar, sérère, diola, malinké, soninké), selon un système de découpages régionaux. Mais alors, que d'injustices et de problèmes! Au nom de quel impérialisme linguistique les Ndouts devront-ils être alphabétisés en wolof, les Manjacks en diola ?

Au village artisanal de Soumbedioune.

Que deviendront les langues du groupe tenda (bassari, bedik et koñagi), isolées dans une aire linguistique pulaar ? Tout comme les Bretons, les Alsaciens, les Occitans, les Basques ou les Corses, ces ethnies minoritaires n'ont aucune envie de perdre, avec leur langue, une grande part de leurs traditions et de leur particularisme. Une seule chose est certaine : la progression du wolof qui devient la *lingua franca* du Sénégal. Langue du commerce et des échanges, elle s'impose aussi bien à Fatick au cœur du pays sérère, qu'à Ziguinchor, capitale de la Casamance. Quand un Toucouleur rencontre un Diola, il lui parle en wolof, et si 45 % seulement des Dakarois sont wolofs, plus de 95 % sont wolofophones. Chaque nouvel immigré se sent tenu d'apprendre la langue de Lat Dyor.

Le grand débat sur l'alphabétisation en « langues nationales » reste ouvert. Il donne lieu parfois à de véritables batailles d'Hernani, pendant que le latin reste obligatoire dès l'entrée en 6e...

Certains s'amusent à exhiber des lettres de demande d'emploi écrites dans un français baroque, sans voir le drame de ceux qui ne peuvent exprimer leur pensée par écrit dans leur propre langue : « Très cher Monsieur le conseiller technique, c'est nanti d'une grande allégresse initiative que j'ai l'honneur... » Calligraphié avec pleins et déliés par l'écrivain public qui trône dans toutes les postes du Sénégal.

Il faut sortir le français de cette situation ambiguë de fausse langue maternelle. Langue étrangère et seconde, il sera d'ailleurs mieux parlé, mieux écrit et même mieux compris quand sera appliqué le décret de 1972 sur l'enseignement des langues nationales.

Quelques alarmistes évoquent le spectre de la créolisation, dont le sympathique « franlof » serait l'une des prémices. Le français et le wolof seraient également menacés, pris dans une confuse mayonnaise. Mais, derrière la création de mots heureux comme « essencerie » ou « enceinter », la situation diffère de celle des Antilles ou d'Haïti, longtemps isolés. Quelques superpositions et quelques emprunts (*simis* pour chemise, *sis* pour chaise, *sandarma* pour gendarme) ne permettent pas de conclure à la constitution d'un créole. Le seul créole authentique du Sénégal reste celui, très ancien, des métis portugais de Ziguinchor.

L. S. Senghor, bien que très opposé à toute créolisation, est partisan d'un certain dynamisme des langues. Il a personnellement contribué à enrichir la langue française de mots nouveaux ou ressucités comme négritude, primature, gouvernance, sénégalité, germanité, latinité, francité et même... celticité.

Il existe cependant quelques sénégalismes : « Gagner petit » (avoir un enfant), « vous avez duré » (vous êtes resté longtemps), « saboter les filles » (jouer les don Juan), et certains anciens combattants emploient encore le très imagé parler « tirailleur » : « Je prends mon pied la route » signifiant « je m'en vais... »

Islam noir

Il n'existe pas de clergé, de prêtre, de sacrements et de « mystères » en islam. Dieu est inaccessible dans son unicité et sa transcendance. Le culte est réduit aux cinq « piliers » de la foi : credo-témoignage *(shahâda)*, prière *(salât)*, aumône légale ou purificatrice *(zakât)*, jeûne *(siyâm)*, et si possible

pèlerinage *(hadj)*. On y ajoute le *jihâd*, traduit à tort par
« guerre sainte », alors qu'il s'agit de la « juste guerre », dont
la forme la plus haute est un combat spirituel contre ses
propres passions, « car il est plus facile de combattre autrui
que soi-même » (El Hadj Omar).

Le mot « marabout » vient de l'arabe dialectal nord-africain
mrâbot, forme vulgaire du célèbre *al-murâbit*, « l'almoravide »,
dont les troupes parties de Mauritanie poussèrent un furieux
jihâd tant au sud qu'au nord où elles créèrent Marrakech en
1070. Le marabout doit être avant tout un homme de Dieu,
un ermite, un saint *(wali)*, qui se distingue par sa prière,
sa piété, sa science et ses œuvres. Charlatan à l'étage infé-
rieur (les fameux « marabouts-cognac »), mystique authentique au sommet, il se veut guide spirituel *(murshid)*.

En Afrique noire, son rôle a très vite débordé sur le temporel, et les marabouts ont pris le relais des hiérarchies traditionnelles ébranlées par le choc de la colonisation. De la naissance à la mort, ils président à l'éducation, à la justice, à la
médecine ou au mariage, et règnent sans partage sur la vie
sociale de leurs *talibés* (disciples). Pacificateurs, médiateurs,
arbitres, éducateurs, guérisseurs, capitalistes et grands élec-
teurs, leur puissance s'est affirmée d'année en année.

Maraboutisme et maraboutage

Une évolution qui a donné naissance à un « islam noir » tout
à fait original, se superposant à la fois aux anciennes valeurs
africaines et aux nouvelles structures politiques. Vincent
Monteil cite à ce sujet cette parole d'Amadou Hampaté
Ba : « L'islam n'a pas plus de couleur que l'eau, c'est ce qui
explique son succès : il se colore aux teintes des terroirs
et des pierres. » Au Sénégal, le « maraboutisme » est une réalité
complexe, où se côtoient mysticisme, mouvements politico-
économiques, messianisme, et aussi les pratiques populaires
de superstition ou de magie. Sous le boubou de l'islam ou la
cravate occidentale, les gris-gris des féticheurs demeurent,
et rares sont les hommes d'affaires où les politiciens sénégalais qui prennent une décision sans consulter l'oracle de
leur marabout. Les « cabinets » de consultation sont sur-
encombrés à la veille des remaniements ministériels.

Marchand de livres
de prières sur les trottoirs
de la Médina.

Jour de *tabasky* : fête
du mouton où l'on commémore
le sacrifice d'Abraham.

Le « Tigre de Fass »
inondé de potions protectrices.
Derniers réglages des gris-gris
avant le combat.

Luttes casamançaises
à Koubalan.

Quant au « maraboutage », terme inconnu des encyclo-
pédies, il fait frémir tout citoyen. Le suffixe *age* prend ici
une valeur péjorative et maléfique. Après avoir usé de sa
baraka pour se faire le défenseur du Bien et de la Bonne
Parole, le marabout en a parfois abusé pour faire de sa religion un commerce. A côté des marabouts-prière, des mara-
bouts-refuge, des marabouts-conseil, certains se transforment
en marabouts-jeteurs de sorts ou marabouts tiroirs-caisses et
suscitent presque autant de craintes que d'espoirs. Tout aussi
bien magiciens, devins et guérisseurs, les remèdes de ces
marabouts-arnaqueurs sont avalisés par la grande ombre du
Coran qui leur sert d'enseigne et de rempart. La récitation
de quelques versets de temps en temps ne manque pas
d'impressionner le client et de renforcer les techniques traditionnelles de divination : dessins sur le sable, cauris, osselets...

Les titres des faits divers du *Soleil* témoignent des ravages
du maraboutage : « Le prétendu marabout déféré au parquet »,
« L'affaire des têtes coupées de Kaolack » (elles sont censées
dénicher les diamants), « Victime d'un faux multiplicateur
de billets [en existe-t-il des vrais ?], ses 150 000 francs sont
partis en fumée »... Le plus célèbre de ces « multiplicateurs
de billets » reste Moussa Camara, dit Chérif Aïdara, qui,
devant l'incompréhension de la police locale, s'exila en France
et se fit imprimer de somptueuses cartes de visite ainsi
libellées :

« Moussa Camara, astrologue voyant guérisseur, résout
tous vos problèmes. Vous reçoit de 9 h à 20 h tous les jours
sauf le vendredi. Prenez vos rendez-vous avec son secrétaire
M. Al-hadj Cissé au 26, rue de Constantinople (3e ét.) –
75008 Paris (tél. : 522.60-84). »

La fabrication des gris-gris, sachets de cuir contenant
quelques écritures coraniques, demeure le trafic le plus lucra-
tif. S'y ajoutent les innombrables pommades magiques,
amulettes et talismans contre les mauvais coups du sort.
Certains philtres sont spécialisés, au point d'assurer la fidélité
de l'époux (e, es) ou de protéger les conducteurs des pannes
ou des accidents. La pratique du « ligotage » est considérée
comme infaillible. Elle permet, par une sorte d'envoûtement
à distance, de manipuler comme une marionnette celui qui

en est victime. Le marabout-ligoteur peut ainsi, selon la commande de son client, punir le chef de service abusif, frapper d'impuissance le mari volage ou ensorceler la fiancée récalcitrante.

Tremplin magique pour la réussite sociale ou affective, le maraboutage joue aussi un grand rôle dans la lutte sénégalaise. Que ce soit Coriace Mbaye, Double Less (double largeur), Taxi, le Tigre de Fass, Boy Remorque, Berliet Diatta, Bouki (l'hyène) ou Docteur Diouf, tous les lutteurs sont flanqués d'un marabout-manager qui les inonde d'eau bénite et « ligote » l'adversaire. Le combat est toujours précédé d'interminables préliminaires au cours desquels on s'envoie à distance des paquets de mauvais sorts comme autant d'uppercuts.

Consultation chez un marabout

A moitié convaincu par le prosélytisme d'un compagnon de bureau, j'ai moi-même succombé à la tentation de consulter un de ces marabouts. Son « cabinet » a pignon sur rue au cœur de la Médina. Nous sommes tout de suite introduits dans un grand salon encombré de fauteuils cossus et d'un impressionnant échafaudage de valises empilées. Maître B. écoute l'exposé de mon problème (personnel), le regard dissimulé derrière ses lunettes de soleil. De temps en temps, il sourit et hoche la tête. Puis s'engage une grande palabre avec mon fidèle escorteur. Je devine que l'on aborde des questions de barème, adapté tout à la fois à la gravité de mon cas et à mon statut de *tubab*. Après un long silence des deux partis, le marabout va distiller son tarif puis son oracle : « Avec les Blancs ça ne marche pas toujours. Mais ton problème est simple et tu es l'ami de mon ami. Ce sera 10 000 francs CFA. » Diagnostic sur-le-champ et résultat immédiat.

C'est alors l'ouverture d'une des mystérieuses valises de carton bouilli et le début d'une séance où alternent mise en scène, prières, incantations, signes cabalistiques et prostrations méditatives. Comment s'appelle-t-elle ? Age, couleur des cheveux, des yeux... Photo si possible. Longue confrontation, le Coran à la main. L'officiant farfouille à nouveau dans sa valise, consulte un vieux cahier dont les feuilles se détachent, puis griffonne quelques notes en arabe. Nouvel interrogatoire. Ai-je des maux de tête? Le chapelet *(saba)* s'agite dans sa main pendant qu'il égrène quelques prières. B. retire ses lunettes et tient un long moment sa tête entre ses mains. Cinq minutes, puis le diagnostic tombe, aussi optimiste que le courrier du cœur : « Longue vie, santé, bonheur, et prospérité. Elle est belle, elle t'aime, tu la marieras. »

On peut sourire. Mais qui, au Sénégal ne croit pas aux pouvoirs des marabouts? Dans la confiance d'une fin de soirée, l'étudiant le plus européanisé se métamorphose soudain et vous transporte dans un monde de prodiges et de maléfices... Bien difficile à admettre pour nous « qui nous mourons sous le poids de l'évidence ».

La croix et les fétiches

Les quelque 250 000 fidèles (5 % de la population) des missions chrétiennes forment une minorité très dynamique regroupée dans les vieux centres d'évangélisation des quatre communes (Gorée, Saint-Louis, Dakar, Rufisque) ou les régions peu islamisées de la Petite Côte, de la Casamance et du Sénégal oriental.

L'œuvre des missionnaires date surtout du début du siècle dernier, quand les frères de Ploërmel et la bienheureuse mère Javouhey ouvrirent leurs premières écoles et quelques dispensaires. Mais à Joal, village natal de L. S. Senghor, les capucins portugais commencèrent à débarquer dès le XVIIe siècle. Juste en face, souffle comme un air de Bretagne dans la petite île de Fadiouth, construite sur les coquillages et peuplée de statues polychromes et de madones sulpiciennes. Le pèlerinage de Popenguine attire chaque année plus de 100 000 fidèles jusqu'à la grotte miraculeuse de la Vierge Noire. A Mont-Rolland, le dimanche, à la messe de 9 heures, les hommes et les femmes prient, séparés par une travée – comme à l'île d'Houat ou à Kerliadec. Les catholiques sénégalais, formés par les bons pères ou les petites sœurs des écoles de brousse, offrent un visage à part, reflet d'une colonisation bien pensante avec ses valeurs provinciales, son langage de catéchumène et ses dix commandements. Ici, pas de syncrétisme entre la croix et les fétiches comme en Côte-d'Ivoire ou au Congo. Ni prophète ni pape noir, mais des évêques reconnus par Rome et des fidèles conformistes. La messe est toujours dite en latin avec quelques sermons en sérère ou en diola. D'ailleurs, Mgr Lefèvre, alors évêque de Dakar, écrit en janvier 1953 (n° 46 d'*Ecclesia*) : « Ou l'Afrique suivra ses aspirations profondes de simplicité, d'honnêteté, de religion, et elle se fera catholique ; ou, sous des dehors religieux, elle se confirmera dans ses vices de polygamie, de domination du faible, de superstition, et elle s'abandonnera à l'islam... Seule, la religion catholique prescrit aux inférieurs le respect et l'obéissance. »

Partout l'animisme semble battu en brèche, tout au moins en surface. Face à l'islam et au christianisme, il s'est réfugié dans certaines régions de Casamance ou du Sénégal oriental où l'on sent encore cette étroite communion entre l'homme et ce qui l'entoure. Un équilibre presque charnel où, pour qui sait voir et écouter, les pierres, les arbres, les marigots et les nuages répondent aux questions des hommes ; où la vie n'a

de sens que par son alliance avec l'action des morts. En pays sérère, les *saltige* résistent encore aux marabouts. Ils sont chargés de protéger la communauté contre les *naaq*, ces sorciers mangeurs d'âmes, souvent inconscients de leur état, qui rôdent autour des cases en quête de force vitale (*fit*, en sérère). Ils font aussi quelques prophéties sur les pluies d'hivernage et les plantations à effectuer. Certaines consultations, précédées de leur indicatif tambouriné, sont d'une grande intensité dramatique, même pour l'Occidental. Chaque fois, le *saltige* met en jeu sa réputation et sa crédibilité : comme dit le proverbe, « l'homme n'a ni queue ni crinière ; on ne peut l'attraper que par la parole de sa bouche ».

Lors de son service militaire, le jeune conscrit animiste prétendra être chrétien ou musulman pour faire taire les moqueries. Pourtant, sous la panoplie des religions monothéistes, les vieilles croyances du terroir demeurent bien ancrées au cœur de chaque Sénégalais.

Greniers à mil sur pilotis du village lacustre de Fadiouth.
Au premier plan, à gauche, les croix du cimetière, situé sur une butte de coquillages en face de l'île.

La belle signare

« Aucune femme au monde ne possède cette distinction, cette noblesse, cette démarche, cette allure, ce port, cette élégance, cette nonchalance, ce raffinement, cette santé, cet optimisme, cette inconscience, cette jeunesse, ce goût... », disait Cendrars dans *Au cœur du monde*. J'ajouterais : cette voix, ce rire, cette complicité, cette morgue, cette assurance, cet humour, ce rayonnement et cette beauté dans la maternité.

La femme sénégalaise est belle comme une évidence. Elle laisse souvent son homme se pavaner en grand boubou amidonné, mais n'en tire pas moins toutes les ficelles du ménage. C'est elle le profond reflet du Sénégal, son authenticité. Et pourtant, ses compagnons sont bien « machos » en apparence. Un machisme tiré de l'islam et de la tradition : la plus grande malédiction reste le *xala*, ce sort diabolique qui vous rend *yoom* (impuissant). Heureusement, il existe de bons guérisseurs, et des pilules magiques venues de Gambie, qui revitalisent les virilités déchues.

Quelques proverbes circulent encore, comme cette parole du sage Koc Barma : « *Jigen sopal, tee bul woolu!* » (Aime ta femme, mais ne lui fais pas confiance!) C'est même l'une des quatre vérités allusives qui figuraient symboliquement sur le crâne rasé de son fils, sous forme de quatre touffes de cheveux. On entend souvent des réflexions étonnantes sur la femme, ce « complément d'objet direct », cette couverture à deux oreilles *(mbajë ñari nop)* sans laquelle il n'y aurait pas de grasse matinée possible... Ou des jeux de mots comme *soxnë sox lë* (la femme n'est qu'un problème). Un sexisme somme toute bien universel, car si l'islam déclare que « la femme est inférieure à l'homme et lui est soumise » (sourate IV, verset 102), la misogynie de saint Paul ne lui cède en rien : « Je veux pourtant que vous sachiez ceci : le chef de tout homme c'est le Christ, le chef de la femme c'est l'homme [...] l'homme n'a pas été créé pour la femme, mais la femme pour l'homme... » (*Ire Épître aux Corinthiens* XI, 3).

Au Sénégal, la femme n'est jamais perçue comme un être futile, un « roseau dépensant ». Derrière les mâles fanfaronnades, demeurent le culte et le respect de la maternité. « Gloire à toi, femme, immense océan de tendresse, bénie sois-tu dans ton effusion de douceur. Soyez louées femmes, sources intarissables, vous qui êtes plus fortes que la mort » (Sembène Ousmane, *la Mère*, 1962). Hommage à cette mère sénégalaise, qui porte son enfant dans le dos *(boot)* tout aussi bien pour piler le mil que pour danser au son du tam-tam, le nourrit au sein jusqu'à ce qu'il ait deux ans, dort avec lui et ne le quitte pour ainsi dire jamais, avant qu'il ne soit assez dégourdi pour rejoindre sa *morom* (classe d'âge). C'est toujours l'effarement quand une Européenne rencontrée en brousse prétend avoir, elle aussi, un petit bébé à la ville : « Ce n'est pas vrai, sinon il serait avec toi ! » Chaleureuse Sénégalaise ! Les Tourangelles devaient sembler bien fades au président Senghor qui écrivait, lorsqu'il était professeur au lycée de Tours :

Femme nue, femme noire

vêtue de ta couleur qui est vie, de ta forme qui est beauté !

J'ai grandi à ton ombre ; la douceur de tes mains bandait mes yeux...! *(Chants d'ombre.)*

Ici, pas de gavage comme chez les Maures, mais on les aime bien plantureuses quand même. Les canons de la beauté rejoignent la devise des *driyanké* (courtisanes) : *Am bir, am taat, saf ma na dem* (J'ai du ventre, j'ai des fesses, je vais mon chemin !) ; sous-entendu « Je suis bien faite et n'ai rien à craindre. » C'est aussi le slogan affiché à l'arrière de certains cars-rapides ou taxis-brousse, au déhanchement ondulatoire suggestif. De nombreux proverbes conseillent de se méfier des maigres, de celles « qui ont le jarret coupant ». Pourtant, les Renoir et les Maillol se font de plus en plus rares chez les jeunes, qui préfèrent le style mannequin et les jeans serrés. Une mode qui leur va tout aussi bien que les amples boubous.

Le *xeesal* (procédé pour se blanchir la peau) n'est plus très en vogue. Tout comme la perruque. On assiste au contraire à une nouvelle floraison des coiffures traditionnelles (nattes, tresses, coquillages) et certaines étudiantes adoptent le crêpage afro. Quant au *xeesal*, une circulaire administrative de 1978 affirme qu'il constitue un sérieux danger pour la santé : « Il est incompatible avec notre dignité d'homme noir que le chef de l'État a rétablie à sa vraie place dans le monde. » Il existe pourtant toute une gamme de crèmes ou de savons blanchissants : Satina, Cleartone, Asepso, Lifeboy, Astral, dont le grand point de vente, près du marché Tilène, porte l'enseigne *Black is beautiful*. A signaler un nouveau produit superdécapant nommé *lax* (bouillie de mil), fabriqué par l'utilisatrice elle-même, à base de grésil, d'eau de javel et de shampooing.

Coépouses et coups de pilon

Et la polygamie ? Ce n'est pas une prescription de l'islam, mais une tolérance (limitée à quatre femmes) qui vient du souci majeur d'éviter l'adultère, le désordre des mœurs, les enfants illégitimes et les vieilles filles. C'est aussi le moyen de se procurer une nombreuse descendance et une main-d'œuvre familiale. Au Sénégal, il semble que 30 % en moyenne (chiffre en régression) des hommes mariés soient polygames.

Le grand problème reste celui de l'équité entre les coépouses *(wujë)*. « Épousez donc celles des femmes qui vous seront plaisantes, par deux, par trois ou par quatre, mais si vous craignez de n'être pas équitable, n'en prenez qu'une seule ou des concubines », disait Mahomet à ses compagnons. L'homme doit passer deux ou trois jours (le *moome*) avec chacune de ses épouses. Il est même spécifié que « le partage légal des nuits est obligatoire pour les coépouses, mais le mari n'est pas tenu à observer, en faveur d'une femme, l'égalité quant au coït s'il s'abstient de l'une d'entre elles afin d'accroître sa jouissance avec une autre ». Chaque tour commence avec la prière du *timis* (6 heures du soir). Celle qui « est de tour » « prépare le repas pour toute la famille. Les enfants des différents lits mangent ensemble, les hommes à part, et les coépouses prennent leur repas dans le bol commun que l'on pose dans la chambre de celle qui est de *moome*. Mais il y a toutes les nuances et tous les arrangements possibles. On peut faire cuisine ou même villa séparée. Entre *wujë*, « la pudeur, la dignité de soi-même empêchaient de garder le jour et la nuit l'homme, quand tout ce qui touche à sa personne revenait à une autre pendant ses *trois jours*. Le jeu n'empêchait pas les coups bas, portés à l'insu de la rivale... Noumbé se souvient bien que, lorsqu'elle était nouvellement mariée, elle faisait sauter ses *trois jours* à la deuxième coépouse. Elle était en ces temps la plus jeune... » (Sembène Ousmane.) Ce sera bientôt le tour de Noumbé d'être délaissée.

Polygame des villes et polygame des champs

D'une manière unanime, les jeunes Sénégalaises, et surtout les étudiantes, sont contre la polygamie. « Jamais je ne partagerai mon mari avec une autre femme, plutôt divorcer... » Mais la femme célibataire n'a pas encore sa place au Sénégal, et divorcer, c'est bien souvent se retrouver seule et sans ressources. En brousse, les attitudes sont moins tranchées, et on a la surprise de rencontrer certaines femmes qui défendent la polygamie : « On peut partager les travaux... on ne peut pas être à la fois aux champs et à la maison pour s'occuper des enfants et du mari. » C'est d'ailleurs souvent la première femme *(awa)* qui, à l'approche de la ménopause, choisit et prépare pour son mari une jeune compagne « docile, robuste et féconde ». Telle aînée de cinquante-six ans traitera comme des servantes ses deux jeunes coépouses de vingt-cinq ans, qui parleront d'elle comme « d'un autre mari ». Quelques *wujë* voient même dans la polygamie un moyen d'obtenir un peu plus de liberté : « Si je veux voyager, grâce à ma coépouse je peux partir. » Ce peut être aussi un réconfort affectif : « Les rivales remplacent les sœurs. On peut discuter, comploter, s'entraider. »

Vision idyllique et champêtre d'une institution qui présente un tout autre aspect dans les villes. Ici, la polygamie est ruineuse, et les « sœurs » deviennent d'impitoyables rivales. Il suffit de lire *le Soleil* pour s'en persuader : « Sa coépouse lui arrache une oreille d'un coup de dent. » « Elle assomme sa coépouse à coups de pilon. » « Jalouse, elle ébouillante sa rivale. » Quelques titres parmi d'autres ; sans compter les innombrables démarches auprès des marabouts-féticheurs, pour jeter des sorts ou carrément rendre impuissant le pauvre mari, lorsque ce dernier se trouvera chez la *wujë*. Si avoir de nombreuses femmes est un signe de richesse et de prestige, le malheureux polygame-de-ville paie fort cher les quelques parades ostentatoires qu'il peut effectuer aux bras de ses épouses. Avec l'introduction d'un mode de vie à l'occidentale, la polygamie devient un luxe. Il faut plusieurs villas ou appartements, plusieurs voitures et plusieurs réfrigérateurs. A ce rythme, le modeste fonctionnaire qui doit faire vivre deux ou trois foyers avec moins de 100 000 francs CFA par mois jongle souvent bien au-dessus de ses moyens. Il est écartelé entre ses *wujë* et assailli de demandes d'argent (école des enfants, nourriture et cadeaux d'apparat), chacune des épouses essayant d'accaparer ses faveurs et de faire valoir sa priorité sur les autres.

Beaucoup de polygames potentiels finissent par hésiter. Même si l'on entend encore quelques inconditionnels affirmer « que l'on ne peut pas manger tous les jours le même plat de riz et qu'il faut changer de menu, que c'est aussi un moyen pour assagir ou calmer les épouses », que, de toute façon, « il y a trop de femmes, et que l'homme a besoin de changement et la femme de sécurité », même si certains se vantent de diviser pour régner, malgré tout, la polygamie semble condamnée à disparaître. « Elle fut instaurée pour des raisons économiques et ce sont ces raisons économiques qui provoqueront sa suppression progressive » (Amadou Hampaté Ba). Dans les villes, la polygamie ne se justifie plus par le souci de se procurer une nombreuse descendance et, plutôt qu'une source de main-d'œuvre pour le travail agricole, devient un casse-tête permanent. Les coépouses se sentent frustrées. Ce n'est plus la première femme qui choisit la future compagne de son mari, et elle n'a plus aucune autorité sur l'ultime conquête. La position la plus inconfortable reste celle de la deuxième épouse, quand son mari en épouse une troisième. Elle n'est ni l'aînée ni la favorite.

Adjugé ! Vendu !

La dot, c'est le cauchemar aux enchères. Rien à voir avec le magot que devait apporter, en même temps que son trousseau, la jeune mariée européenne pour bonifier ses appas naturels. Au Sénégal, c'est exactement l'inverse : c'est la famille du futur époux qui est sur la sellette. A l'origine, en milieu traditionnel africain, la dot était le symbole de l'alliance entre deux familles, la compensation matérielle de la perte d'une force de travail, une sorte de rachat ou de garantie. Cette dot se réglait en nature et notamment en têtes de bétail.

Cet échange s'accompagnait de dons symboliques ayant une valeur rituelle plus que matérielle, destinés à sceller l'alliance. A l'heure actuelle, la monétarisation de la dot ne donne lieu qu'à de sordides tractations où la future mariée devient l'objet d'un marché. Il ne s'agit plus du tout d'un symbole, mais d'une affaire qui se discute âprement avec la belle-famille et surtout avec la *bajen* (sœur du père de la mariée). Une échelle de prix s'est instituée, compte tenu de l'âge, de la beauté, de la virginité... Et l'inflation galope avec les surenchères. Certains vieillards fortunés peuvent s'acheter de très jeunes femmes et même les retenir dès leur naissance, pendant que la plupart des Sénégalais n'ont pas les moyens d'être agréés par leur future belle-famille et voient leur fiancée vendue au plus offrant. En mars 1961, une des jeunes élèves de l'École normale de Rufisque reçoit de son *far* (fiancé) une lettre où il lui écrit : « Je t'en prie, essaie de faire pression sur tes parents pour qu'ils me demandent moins de 125 000 francs CFA pour te faire la cour. »

A la dot proprement dite, il faut ajouter les cadeaux aux divers membres de la belle-famille (ceux dont on veut obtenir le soutien) et tous les frais des cérémonies de fiançailles et de mariage. Voici quelques étapes décrites dans *le Soleil* en juin 1978 :

1re étape : Approche

– *Meygu jëk* (cadeau de fiançailles)	50 000
– *Warugar* (dot remboursable)	50 000
– Machine à coudre	35 000
– Montre-bracelet	30 000
– Radio ou magnétophone	35 000
Montant de la 1re étape	200 000
	francs CFA

Sacrifice de la *tabasky* en Médina.

2ᵉ étape : Cérémonie officielle du mariage

– Robe de mariage	25 000
– Habillement	75 000
– Aide à la belle-mère	25 000
– Frais danicng et divers	27 500
– Dons griots et « parasites »	50 000
– Transport pour rejoindre le domicile conjugal	5 000
– Cérémonie	5 000
Montant de la 2ᵉ étape	212 000 francs CFA

3ᵉ étape : Coucher nuptial

– Lit de noces	35 000
– Cadeau à la fille	10 000
– Repas du jour et boissons	50 000
Montant de la 3ᵉ étape	95 000 francs CFA

4ᵉ étape : Installation du Jeune ménage

– Aménagements divers	125 000
– Salon	150 000
– Télévision	125 000
– Préparatifs	100 000
Montant de la 4ᵉ étape	500 000 francs CFA

... soit une dépense cumulée de plus d'un million de francs CFA (20 000 francs français) pour le mariage d'une seule femme, et ne sont pas comptabilisés : les cadeaux aux « compères », ceux qui accompagnent et soutiennent le futur époux tout au long de cette épreuve ; le *waral*, repas offert au cortège qui escorte l'épouse jusqu'à la demeure conjugale ; le *mbërat*, somme à déposer sous l'oreiller en paiement du constat de défloration ; le *xoxant*, cadeau à la marraine de la mariée. Plus les innombrables petites valises en carton bouilli du type pochettes-surprises contenant soutiens-gorge, slips, savonnettes, etc. La liste n'est pas close, et il faudra recommencer pour fêter la première naissance. Lors du baptême, les « bleus » (billets de 5 000) voltigent entre les mains des griots et des griottes. En attendant, les parents sont les bénéficiaires, et plus du quart de la population masculine ne peut espérer épouser la *coro* (fiancée) de ses rêves. Un célibat forcé de plus en plus mal supporté par les jeunes qui finissent par renoncer au mariage, à son coût, à ses complications. Mais que faire ? Il faut bien vivre et aimer. Au cours d'un grand débat sur les mères célibataires à l'Assemblée nationale en juin 1978, Sophie Ndoye Cissoko, député de l'Opposition, a déclaré : « L'exclusion des filles-mères de l'école, alors que les garçons ne sont absolument pas inquiétés, est un viol de l'égalité des femmes et des hommes ; une injustice. » Aller à l'école ou attendre un enfant sont peut-être les deux moyens les plus efficaces d'échapper au carcan de la vie familiale. La seconde solution permet à la jeune fille de mettre sa famille devant le fait accompli et de se libérer... Mais à quel prix ? Une certaine prostitution amateur commence à faire des ravages. Les étudiantes et lycéennes elles-mêmes finissent par monnayer, plus ou moins ouvertement, leurs faveurs. Ce ne sont pas les plus misérables qui font le trottoir : « Une jeune fille qui veut aller au bal tous les samedis, veut changer de teint en s'offrant des produits coûteux, voit forcément ses besoins s'étoffer » (un gradé de la Brigade des mœurs interviewé par *Promotion* en novembre 1977). Le même journal cite un autre cas : « Très vite, la chance sourit à Ndèye. Elle a eu de très bons clients *tubab* qu'elle a d'ailleurs préférés aux Nègres. La vie en concubinage commence. Pour Ndèye, c'est merveilleux! Elle arrive à gagner 100 000 ou 200 000 francs CFA par mois! »

Séduite et répudiée

Selon le code musulman, tout mari peut, à chaque instant, renvoyer sa femme ou se séparer d'elle sans formalité, sans motif et sans indemnité. C'est la répudiation (*daxe* en wolof : renvoi). Mais l'épouse peut aussi retourner chez ses parents plus ou moins momentanément. On entend souvent dire *suma jabar defa fay*, ma femme m'a quitté sans autorisation... ou *defa fori tank*, elle est revenue sur ses pas. Dans ce cas, elle attend que son mari vienne la chercher avec cadeaux et repentir. Le véritable fléau social reste le divorce *(fase)*. En décembre 1962, d'après le pacte matrimonial de Foundiougne (département de Kaolack), si le divorce est à la demande injustifiée de la femme (estimation du cadi), elle remboursera le *warugar* et la dot ; et si c'est le mari, il aura perdu tout ce qu'il a versé. De quoi inciter les épouses volages à rester chez leur mari, et les époux coléreux à ne pas répudier à la légère. Mais le mariage reste fragile. Les jeunes mariées, poussées par leur famille, se font offrir dans les deux premières années le plus possible de bijoux et de biens monnayables (villa, voiture, compte en banque). En cas de malheur.

Le sens des affaires de la femme sénégalaise n'est d'ailleurs pas nouveau. Dès le début de la vie commune, la jeune épouse possède ainsi des biens sur lesquels le mari n'exercera aucun droit. Petit à petit, elle augmentera capital et indépendance. Excellentes commerçantes, on rencontre jusqu'au fin fond de la Casamance de ces maîtresses femmes wolofs venues acheter des fruits et des légumes aux paysannes diolas pour les revendre sur les marchés dakarois.

A l'escale de Casablanca, j'ai souvent collaboré avec ces championnes de l'excédent de bagages pour me coltiner à bout de bras les produits de leurs razzias marocaines. Et le pèlerinage à La Mecque se transforme bien souvent en voyage d'affaires. Les « tontines » (*maas* en wolof) font partie de cette remarquable organisation du sexe faible sénégalais : quelques voisines se réunissent pour fixer une cotisation mensuelle dont la somme globale sera remise chaque mois à l'une d'entre elles ; une façon d'être riche une fois de temps en temps et de pouvoir couvrir certaines dépenses exceptionnelles. Quant au *becet fuk*, que l'on peut traduire par « chaque jour, 50 francs » (1 franc français), c'est un système de crédit lilliputien qui permet à l'épouse de s'acheter une pièce de tissu sans que le mari n'en sache rien.

Demba et Dupont

Toujours cette statue de la place Tascher, autour de laquelle je tourne depuis le début de ce livre. Ce couple anachronique, ce tirailleur sénégalais et ce soldat français figés côte à côte pour la postérité, comme au temps de l'Empire. Qu'en est-il, en 1980, des rapports franco-sénégalais ? Fini le temps du paternalisme candide, celui des conquérants et des missionnaires. Place aux affaires et à la coopération. Le nouveau tandem, qui pourrait trôner place Tascher, serait celui du ministre et de son conseiller technique européen. Les dossiers remplaçant le fusil en bandoulière. Après vingt ans d'indépendance, il s'agit d'un mariage de raison. Les peuplements d' « expatriés » sont très cloisonnés et ne se mélangent que rarement, à l'occasion de certaines manifestations sportives ou culturelles, comme la venue à Dakar de champions internationaux de tennis, ou la séance hebdomadaire du samedi soir au cinéma *le Paris*.

Première strate : les « vieux de la vieille », ceux qui ont surnagé après l'indépendance, qui « ont » vingt ou trente ans d'Afrique et ruminent encore leurs souvenirs coloniaux dans certains petits bars de la capitale. Pour ceux-là au moins, les rapports franco-sénégalais sont nets : leur racisme historique s'est transformé en une forme d'affection réaliste. Ils prétendent « savoir parler aux Africains », ont leurs Oncle Tom et sont mieux acceptés que les nouveaux venus.

Bardés de diplômes et de démagogie, experts et coopérants sont les mercenaires des temps modernes. Croisés du développement, enthousiastes ou intéressés, leur aventure sénégalaise est souvent bien équivoque. Surnommés les Culs-Blancs par la vieille garde à cause de la plaque minéralogique de leur voiture hors taxe, blanche avec des numéros rouges, symbole de leur « transit temporaire », ils ne font en effet que passer. Le temps d'un contrat de deux ou quatre ans. De quoi laisser un souvenir mémorable sur les courts de tennis, tester quelques idées sur le terrain, s'acheter une villa en France et améliorer un *curriculum vitae* un peu léger. Très vite les notions de travail et de rendement s'estompent devant le charme du climat et de la vie quotidienne.

30 000 brins de muguet, c'est le chiffre d'importation annuelle pour la fête du 1er mai. Galette des rois, sapin de Noël, œufs de Pâques et crêpes de la Chandeleur... La grande majorité des Européens se retranche dans ses habitudes et entretient avec un soin nostalgique les bons usages de la mère patrie. On ferme les rideaux sur le Sénégal et on « climatise » pendant que le boy apporte le pastis. Les contacts se limitent souvent aux rapports hiérarchiques avec ces mêmes boys, aux âpres marchandages sur les marchés ou à quelques sourires démonstratifs devant les collègues sénégalais. De temps en temps, on s'extrait de son club ou de son cercle d'amis pour quelques virées en brousse, munis de cartes à belote et de la

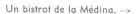
Un bistrot de la Médina. →

Ray-Ban et boubou.

Toucouleur sur le Fleuve.

précieuse glacière. Les plages ont leurs habitués ; l'îlot de Ngor et ses petits cabanons étant réservés au Gotha dakarois. Partout ailleurs, fleurissent les parasols et les barbecues du week-end.

Certains nouveaux apôtres du tiers monde ont des velléités d'intégration. Ils apprennent le wolof, mangent le *cep bu jen*, rejettent la société européenne et tentent de s'immerger au cœur des réalités sénégalaises. Ils n'en sont pas mieux compris par leurs hôtes car, comme dit le proverbe : « Le tronc d'arbre a beau rester longtemps dans le marigot, jamais il ne deviendra crocodile. » Ici, rien n'est plus dangereux que l'idéalisme boy-scout. Les malentendus sont aussi fréquents que les illusions perdues. Le séjour devient un exploit d'équilibriste : échapper au ghetto européen tout en sachant rester à sa place, être à la fois l'étranger et l'ami. Sans arrière-pensées et sans démagogie.

Django tire le premier

Dimanche après-midi, au *Harlem Club* de Cambérène, Libasse, Samba et quelques autres dansent le jerk et la pat-changa devant l'électrophone. C'est l'un des innombrables clubs de la grande banlieue de Dakar. On y fume, on y boit (rarement de l'alcool), on y courtise *(doxaan)*, mais surtout on y est bien, entre amis, loin des contraintes traditionnelles ou des angoisses de l'avenir. Ce qui importe, c'est d'être ensemble. Les noms de ces clubs sont choisis avec soin et reflètent le désir de se distinguer : *Superman, Rythmos, Adonis, Anges du Parnasse, Frénétique, Black Shoes...* Mythomanie des noms étrangers, ceux, disent-ils, qui sonnent comme dans les films ou « reflètent notre voie ». Ces clubs permettent d'échapper à la solitude de la grande ville. La notion de bande a pris le relais de la notion villageoise de classe d'âge *(morom)*. Traditionnellement, le jeune Sénégalais passe toute sa vie avec des compagnons de son âge. Compagnons d'enfance, d'adolescence et d'initiation qui sont souvent plus proches que des frères. Lors d'une fête au village, chacun va de son côté avec sa classe d'âge, le père avec ses pairs, la mère avec ses commères et les enfants avec leurs bandes. Il n'y a pas de vie de famille comme nous l'entendons en Europe, pas de noyau isolé où l'on est classé et cloisonné. Mais la télévision commence à faire des ravages. Du jour au lendemain, parents et amis se retrouvent plantés en rangs d'oignons devant ce nouvel arbre à palabre qui trône près du réfrigérateur.

L'initiation d'une classe d'âge avec sa retraite dans le bois sacré (deux ou trois mois pour certains *bukut* diolas), ses apprentissages et des épreuves de sortie (comme la fameuse bastonnade contre les masques *lukuta* chez les Bassaris), c'est le rite de passage entre l'adolescence et l'âge adulte.

Dans les villes, les bandes sont encore bien inoffensives. Rien à voir avec les Hell Angels de Californie, leurs équipées sauvages et leurs rites d'initiation. La plupart portent des noms pacifiques, comme Saint-Tropez, Monte-Carlo ou Dolce-Vita. Pourtant *le Soleil* s'inquiète de la délinquance juvénile et de la constitution de quelques bandes au désœuvrement plus agressif que les autres : les Flasheurs, les *Jambar* (guerriers) Chicago, la Maffia, les Gelwar (qui se veulent les aristos du milieu), les Onze Frères, les Black Powers... quelques durs qui règnent sur le « maquis » entre buvettes clandestines et mauvais coups. Le 5 février 1979, *le Soleil* décrivait « le dernier coup des pirates du rail », attaque de l'express Dakar-Bamako (36 heures) pour dérober huit caisses de sandales en plastique...

Le mythe suprême reste celui de la ville. L'exode rural est impressionnant. 30 % seulement des « moins de quarante ans » qui résident dans la région du Cap-Vert y sont nés. La population urbaine représentera bientôt 40 % de l'ensemble du pays, contre 20 % en 1960. La brousse se vide. Les grand-mères ne cessent, selon la tradition, de renverser les calebasses sur les traces de pas de leurs petits-enfants et, dans certains villages fantômes, il ne reste plus que des vieillards et des enfants. On attend les subsides de ceux qui sont partis en ville pour tenter la chance. Le grand rêve, c'est de partir pour l'Europe, d'obtenir une bourse ou un emploi. A demi scolarisés, les jeunes se sentent frustrés s'ils restent au village et attendent quelque hypothétique miracle de la Capitale. Au risque de s'y brûler les ailes et de ne plus oser retourner chez eux.

Samba a vingt ans ; il a échoué à son certificat d'études, ce qui lui permet de dire qu'il est « niveau CEP ». Il est chômeur.

Il habite chez son « grand-frère » (souvent un lointain cousin) dans la banlieue dakaroise. Tous les matins, il part chercher du travail, élégant, décontracté et généreux *(tap)* comme un vrai *Samba linger* (fils de reine). Son optimisme et sa bonne humeur sont stupéfiants. Avant tout, il faut avoir l'air *cool*. C'est la philosophie du *yaay set* (à toi de voir) et du *Inch Allah* (si Dieu le veut).

Certains marchands de rêve abusent de cette crédulité et de cet enthousiasme. Les cours par correspondance font des ravages au Sénégal. Pour beaucoup de jeunes, c'est à la fois un alibi et un espoir. Quelques instituts proposent « pour la modique somme de 1 560 francs (soit 78 000 francs CFA), l'obtention d'un certificat de scolarité conforme à la législation française ». L'on peut devenir, au choix : technicien, romancier, auteur de contes pour enfants, chroniqueur automobile, secrétaire de direction, critique d'art, scripte, directeur d'hôtel ou dessinateur humoristique... « avec l'assurance de nos meilleures intentions dès réception de votre bulletin d'inscription et de votre première mensualité ». Signé par « le conseiller culturel » et contresigné par le « directeur du centre d'orientation et d'admission ». Impressionnante mise en scène pour tous ceux qui espèrent accéder au firmament de la connaissance par correspondance... en treize mensualités. Il existait même un stylo magique, venu du Nigéria, « qui corrige les fautes d'orthographe » et un portefeuille qui « renouvelle automatiquement les billets de 5 000 francs CFA ».

Les petits métiers sont innombrables : cireurs, gardiens ou laveurs de voitures, vendeurs de journaux, colporteurs à la sauvette *(bana-bana)*, apprentis dans les cars-rapides, rabatteurs pour les taxis-brousse (« les maraudeurs »), gérants de kiosque à pain... et même conducteurs de mobylette-taxi, ceux qu'on appelle les *taxaan* ou cascadeurs. A Pikine, dès la tombée de la nuit, sévissent les *siruman* (« chats sauvages »), jeunes chauffeurs employés par quelques riches propriétaires de taxi et qui travaillent en fraude et sans permis. Le Sénégal est, d'ailleurs, le champion du travail bénévole. Chaque chauffeur a son apprenti et les secrétariats sont encombrés de bonne volonté non rémunérée. Il faut trouver à tout prix une façade, emploi et respectabilité, tout en rêvant d'une incertaine titularisation. Le bas de l'échelle est tenu par les *talibés*, élèves de l'école coranique confiés par leurs parents à un marabout et transformés très vite en petits mendiants de la grande ville.

« Le *talibé*, en fin de compte, ne recevait plus de leçons. Cette formation intellectuelle à laquelle il était destiné céda la place à une mendicité qui assurait le logement du maître, et lui payait ses repas et ses vêtements, maintenant qu'il était un chômeur confirmé. Aussi ne mendiait-il plus pour obtenir une poignée de riz ou de couscous, mais des espèces sonnantes » (*Njangaan*, Cherif Adama Seck, 1975). Njangaan avait été choisi, « à cause de sa belle voix et de sa mine susceptible d'apitoyer les passants ». La vie de ces petits *talibés*, perdus loin de leur famille, entre les rafles de police et les coups de bâton du marabout (quand ils rentrent bredouilles) est la plus misérable de toutes. On les rencontre souvent par deux ou trois, en haillons, postés aux feux rouges, tendant leurs boîtes de conserve.

Il est minuit au *Katmandou* : devant le juke-box, sur un émollient rythme afro-cubain, quelques petits groupes se dandinent avec application. Il faut avoir l'air le plus « diambique » possible : jeans serrés, boots, casquette, cigarette au bout des lèvres, regard absent ou simili-Ray-Ban. Très prisé aussi le style marlou du samedi soir : pantalons-pattes d'éléphant, chaussures « diplomate », veste jaquette avec coutures et revers apparents. Sur la piste, quelques filles dansent entre elles en mâchonnant leur chewing-gum, l'air blasé.

Le cinéma contribue à détourner des réalités vers les mythes. A part les inévitables de Funès, Bronson ou Belmondo, qui passent dans les salles des beaux quartiers, le septième art distille au Sénégal les pires navets de la série B. L'éventail s'étend du plus roucoulant mélo égyptien ou indien au plus spaghetti des westerns italiens, en passant par quelques films d'espionnage, de violence et de sexe (censurés, ce qui les rend encore plus absurdes). Voici les titres au programme, au cours d'une quinzaine (1976) : *la Reine du karaté*, *la Fille à la peau de lune*, *Kung Fu n'y va pas de main morte*, *Terreur en Mandchourie*, *L'arrière-train sifflera trois fois*, *Le sang appelle le sang*, *L'empereur te demande de tuer ton bandit de frère*, *Rajajani et Manuja Shikari* (amours indiennes), *Django tire le pre-*

mier, *la Brute, le Bonze et le Méchant, Ça branle dans les bambous, le Crépuscule des crapules...* de quoi « édifier notre belle jeunesse ». On attend le coup de barre du gouvernement, qui depuis quelque temps a repris en main la distribution des films avec la création d'une société d'État, la SIDEC.

Le spectacle, dans les salles des quartiers populaires, est surtout celui de la participation de la foule. Inutile d'essayer de décoder la bande son, mâchonnée par des appareils douteux, il vaut mieux écouter le public réagir aux images comme à Guignol. Certaines manifestations à contretemps sont stupéfiantes ; comme cette séance de *Roméo et Juliette* de Zeffirelli au cinéma *El Malick*. Le malentendu commence avec l'escalade de Roméo sous le balcon de sa belle, salué comme un exploit sportif : *Golo! golo!* (le singe!) crient les spectateurs, pour lesquels un homme qui grimpe dans un arbre pour une femme ne peut être tout à fait normal...

Et au cinéma de plein air de Saint-Louis, quelle impression extraordinaire que celle de King Kong poursuivant l'ascension de l'Empire State Building dans le baobab situé derrière l'écran.

Avec une dizaine de longs métrages, le cinéma sénégalais est l'un des plus dynamiques du continent africain. Et pourtant, à Dakar comme partout ailleurs (à l'exception du Caire), ce sont les fonds qui manquent le plus. La Société nationale cinématographique (SNC), après quelques mois d'existence, a été dissoute en 1978. Chaque réalisateur est contraint de chercher de l'argent là où il peut. Les bourgeoisies locales ne s'intéressant pas encore au cinéma, elles préfèrent investir dans les transports ou l'immobilier.

Né à Ziguinchor en 1923, Sembène Ousmane est le pape des cinéastes sénégalais. La pipe au bec, il promène un regard plein de sympathie critique sur ses compatriotes, tiraillés entre tradition et « tubabisation ». « J'ai exercé dans ma vie toutes sortes de métiers, pêcheur, maçon, mécanicien. J'ai été docker sur le port de Marseille pendant dix ans... » Itinéraire d'autodidacte qui lui permet d'éviter, dans ses romans comme dans ses films, les pièges de l'esthétisme ou de l'intellectualisme. *Niayes, Borom Saret* (1963), *La Noire de...* (1966), *le Mandat* (1968), *Emitaï* (1970), *Xala* (1975). Autant de réussites qui firent connaître le cinéma sénégalais dans les petites salles du quartier Latin. Et derrière lui se profilent de nombreux talents. Djibril Diop, Vieyra, Momar Thiam, Johnson Traoré, Babacar Samb.

Mais, au cinéma comme en peinture, la récupération systématique des artistes au panthéon de la négritude paralyse souvent les meilleurs et les pousse à la mégalomanie ou au silence ; à moitié subventionnés et officialisés, beaucoup d'entre eux se complaisent dans un art répétitif avec la mauvaise conscience du portefeuille. Ces Sénégalais Rive gauche paraissent bien coincés entre leurs convictions politiques et les aumônes de l'État.

Il existe en revanche un merveilleux art populaire, celui de la rue, qui s'exprime librement à travers les enseignes des coiffeurs, des tailleurs ou des blanchisseries minute, l'artisanat de récupération (vieux pneus, cartons, boîtes de conserve), les jouets d'enfants, les teintures, les « fixés-sous-verre », les bandes dessinées ou les tableaux d'Alphadio, de Bella Seck, de Coly ou de Babacar Lo. Ce dernier s'est spécialisé dans les portraits : marabouts, marins en uniforme, fonctionnaires posant le stylo à la main devant leur table de travail ou famille de coopérants immortalisée entre deux cocotiers. Au-dessus de son atelier, perdu parmi les dunes et les baraquements de Pikine, une enseigne signale « Babacar Lo, dessinateur peintre », sur fond de monstres préhistoriques ailés, d'éléphants, d'hibiscus et de perroquets.

Alphadio habite la Médina. Sa petite maison de bois (angle rue 1-rue 12) lui sert de galerie. Du sol au plafond, c'est un Sénégal en transition qui défile, entre bois sacrés et bars clandestins, circoncision à l'orée du village et mariage citadin... Tout un panneau évoque un étrange paradis terrestre noyé de fleurs et de fruits exotiques où les singes porteraient sacs au dos, jeans, blousons et baskets et l'hippopotame un bermuda à pois roses. Les crocodiles en tenue de camouflage et les panthères loubardes viennent se prosterner devant le lion, trônant avec pipe et couronne au pied d'un baobab obèse.

Cet art des bidonvilles, si vivant et si imaginatif, est à l'opposé du « génie garrotté » dont parlait Picasso. Le ministère de la Culture semble encore ignorer les « naïfs », accusant leurs admirateurs de sombrer dans le paternalisme du *Y a bon Banania*. En juin 1978, eut lieu l'exposition *Ndaje* (Le « Rendez-vous ») au milieu des coffrages de béton brut d'un immeuble en construction. Expérience marginale, où de jeunes artistes sénégalais et étrangers purent se manifester en dehors des sentiers officiels. Théâtre, expositions, débats, musique, pendant quinze jours. Ce fut comme une grande récréation culturelle.

La Grèce de l'Afrique

Dans le sillage de son président poète, le Sénégal se veut la Grèce de l'Afrique. Petit pays sur le plan économique, il souhaite devenir le creuset d'un nouveau monde « communiel ». Ce qui n'est pas un mauvais pari, même sur le plan du développement. Après tout, quand Senghor va parler au Venezuela de similitude et de convergence, ne ramène-t-il pas quelques pétrodollars ? « Nous sommes situés à la même latitude et notre héritage culturel nous vient en même temps de l'Afrique et de la Méditerranée. »

Les audiences au palais sont un des sports favoris des Dakarois. Elles permettent de se voir citer dans *le Soleil* à la rubrique : « Ils ont été reçus... » Le président, costume croisé, civilité et pétulante septantaine, vient s'asseoir à vos côtés dans un petit salon Empire puis vous pose quelques questions familières : De quelle région de France êtes-vous ? Paris, mais ancêtres normands, vénitiens et bretons... Le président prend ma celtitude au rebond : « Vous savez que, dans ma jeunesse, j'ai fait une étude sur l'influence des Celtes sur la poésie anglaise. » On évoque Joyce et Beckett. Le temps passe avec courtoisie. Imprégné de simplicité mondaine, j'en oublie presque l'objet de ma visite. « Vous savez, ma femme est normande. » Puis, un peu plus tard : « Mais les Normands sont un peu mesquins, ce sont des guerriers – les Bretons sont des poètes, des passionnés... » J'acquiesce, aujourd'hui je me sens l'âme bretonne. Quelques timides contre-attaques pourtant, pour éviter que « mon » audience ne dégénère en interview sur les Celtes. Chacune de mes questions est un tremplin pour une nouvelle envolée : les Arabo-Berbères, le métissage culturel, l'enracinement et l'ouverture, Teilhard de Chardin, les convergences et surtout ce « nouvel ordre économique mondial qui seul peut être engendré par un nouvel ordre culturel ». A la fin sera le verbe comme but ultime de la civilisation de l'Universel...

Senghor reste un des rares chefs d'État à ne pas avoir « l'esprit de case » (selon sa propre expression). Son universalisme englobe tout à la fois la détérioration des termes de l'échange, l'anthropologie, la monnaie, l'écologie ou la linguistique. Pèlerin infatigable de la paix et du dialogue entre les peuples (il faisait partie du comité des Sages au Moyen-Orient), il a su donner au Sénégal, à travers colloques, conférences et visites officielles, un poids international certain à une époque où les performances diplomatiques se réfèrent au PIB ou au nombre d'ogives nucléaires.

Pourtant, la grande coquetterie de ce politicien hors pair est de se présenter avant tout comme un universitaire et un poète, entraîné à la tête de son pays par esprit de sacrifice. Docteur *honoris causa* de la plupart des universités de la planète, il garde, dans un tiroir du bureau présidentiel, sa propre thèse de doctorat d'État, brûlant de la terminer lors de sa retraite politique. Ce « maître de langue » à la plume académique, parfois hermétique, affirme écrire pour son peuple. C'est un étrange rapport de curiosité et d'affection réciproques qui le lie au Sénégalais moyen.

Dakar est devenue un lieu de rencontres et d'échanges, un îlot de culture et de tolérance dans une Afrique tiraillée. Cinéma, peinture, sculpture, tapisserie, théâtre, littérature, musique, danse... on assiste au Sénégal à une politique culturelle fondée sur l'enracinement et l'ouverture. C'est le dialogue des cultures, le rendez-vous du donner et du recevoir... thèmes senghoriens qui s'expriment dans des expériences comme celles de *Mudra-Afrique* : puiser dans le passé de quoi réinventer les formes et les gestes en mettant la chorégraphie traditionnelle au contact de la danse contemporaine (celle de Béjart, lui-même d'origine saint-louisienne). On vient aussi de créer à Gorée, une *université des Mutants*, d'où sortira l'homme nouveau, celui de la Civilisation de l'Universel. Citons Roger Garaudy, prophète d'un projet d'alchimie culturelle qui ne manque ni d'enthousiasme ni d'envergure : « Les mutants sont des hommes qui portent déjà en eux un monde encore à naître. Tout un monde. Extérieur et intérieur. Celui de la politique et celui de la foi. Des hommes qui portent en eux Robespierre et Gandhi, saint François d'Assise et Mao Tsétoung... » En mars 1977, les quatorze mutants de la première session errent comme des âmes en peine dans les rues de Gorée. Difficile métamorphose au grand vent des idées et des alizés.

La dérive des continents
Où va le Sénégal ? Où est-il surtout, à la croisée de tous les chemins, balayé par tous les vents, tourné vers les Amériques, la Méditerranée ou le cœur de l'Afrique ?

C'est de Saint-Louis du Sénégal que Mermoz rallia Natal, au Brésil, à bord du *Comte de la Vaulx* pour sa première traversée de l'Atlantique Sud (1930). Un symbole pour ce Sénégal qui accueille Concorde lors de son premier vol commercial vers Rio (1977). Les géologues ne nous ont-ils pas montré que, jusqu'à la fin de l'ère secondaire, Afrique de l'Ouest et Amérique du Sud s'emboîtaient en un seul continent ?

Senghor applique aux idées la théorie des plaques et de la dérive des continents. Il faut sortir le Sénégal de sa petite coquille, refuser la politique des blocs, développer une civilisation du Dialogue et de l'Universel. Eurafrique et négritude, Amérique noire et Méditerranée, démocratie et toute-puissance des confréries religieuses, technocrates et féticheurs, ouverture et nationalisme, socialisme et bourgeoisie « compradore », francophonie et langues nationales... On ne peut pas conclure sur tant d'espoirs et de contradictions.

« ... Mais la pirogue renaîtra par les nénuphars de l'écume, surnagera la douceur des bambous au matin transparent du monde » (L. S. Senghor, *Éthiopiques*).

> *Sans crier gare tout le temps, je passe*
> *de mes amours à mes racines, des palmiers*
> *aux pommiers et de la tristesse à la joie.*
>
> L. S. Senghor, *Élégie pour Jean-Marie*,
> poème dédié aux coopérants du contingent.

C'est dire que la négritude n'est pas une fermeture, un ghetto. C'est tout le contraire, car c'est une ouverture aux et sur les autres. Mais c'est, d'abord, enracinement dans les vertus des peuples noirs, croissance et floraison, avant d'être ouverture aux pollens fécondants des autres peuples et civilisations.

Voilà quelles sont les valeurs fondamentales de la négritude : un rare don d'émotion, une ontologie existentielle et unitaire, aboutissant, par un surréalisme mystique, à un art engagé et fonctionnel, collectif et actuel, dont le style se caractérise par l'image analogique et le parallélisme asymétrique. Voilà ce que nous apportons au « rendez-vous du donner et du recevoir », en ce siècle de la Civilisation de l'Universel.

La culture est l'alpha et l'oméga de la politique : non seulement son fondement, mais son but.

L'Indo-Européen et le Négro-Africain étaient situés aux antipodes, c'est-à-dire aux extrêmes de l'objectivité et de la subjectivité, de la raison discursive et de la raison intuitive, du concept et de l'image, du calcul et de la passion. J'ai prôné, comme idéal de l'humanisme du XXᵉ siècle, la symbiose de ces éléments différents, mais complémentaires.

Ce n'est pas en se reniant qu'on vaincra le colonialisme, mais en se retrouvant, en s'affirmant.

Extraits du « Petit livre vert »
de L. S. Senghor, *Paroles.*

Carnet de bord

Dire bonjour est le véritable passeport pour le Sénégal. Ici, il faut savoir perdre son temps pour en gagner. Pour saluer les vieilles connaissances, on se prend et on se reprend la main quatre ou cinq fois à l'envers et à l'endroit, en psalmodiant le nom de famille de l'interlocuteur. Puis l'on fait quelques pas main dans la main.

Le salut le plus répandu dans ce pays à majorité musulmane est le **salaam maleekum** arabe – réponse : **maleekum salaam.**

En wolof, les salutations s'enchaînent selon l'interlocuteur, l'heure et les circonstances :

– **Jam ngam?** – As-tu la paix?
– **Jam rek, al xamdulilay.** – La paix seulement, grâce à Dieu.
– **Yaw, naka nga def?** – Toi, comment fais (vas) tu?
autre réponse :
– **Waay, mangi ek.** – Bof, je suis là seulement.
ou bien, quand ça ne va pas très fort :
– **Waay, mangi tuuti, rek, sénégalaisement.** – Bof, ça va un peu seulement, sénégalaisement.
– **Ana sa waa kër?** – Comment vont ceux de la maison?
– **Ñep ñunga fa.** – Ils sont tous là-bas.
Suit toute une énumération des membres de la famille :
– **Ana sa pap?** – Comment va ton papa?
– **Ana sa yaay?** – Comment va ta maman?
– **Ana sa dom?** – Comment va ton enfant?
Puis, pour clore le rituel :
– **Ngë nuyul më sa waakër.** – Tu salueras de ma part ceux de ta maison.
– **Di neñu ko deg.** – Ils l'entendront.
C'est ainsi qu'il vous faudra procéder avant d'aborder n'importe quelle discussion, aussi bien au marché qu'à la poste, avec les policiers comme avec vos relations d'affaires.

Quelques mots et phrases commodes ou désarmantes :
– **Man deguma faranse.** – Je ne parle pas le français.
Le vendeur à la sauvette cessera de vous poursuivre avec ses fameuses

pépites d'or (?), ses caleçons en sachet ou ses simili-Ray-Ban. Mais si
vous voulez marchander :

– **Bi ñata lë?** – Ça, c'est combien ?
– **Defa jafe torop.** – C'est trop cher.
– **Wanil ko tuuti.** – Baissez un peu.
– **Amuma pikini – dama bank.** – Je suis fauché.
– **Jere jef.** – Merci.
– **Maye ma.** – Donnez-moi s'il vous plaît.
– **Mangi dem.** – Je m'en vais.
– **Waw.** – Oui.
– **Deedeet.** – Non.
– **Bay ma, dama son.** – Laissez-moi, je suis fatigué (triste).
Pour apitoyer un policier :
– **Suma jabar dafa fay.** – Ma femme a déserté momentanément le
foyer conjugal.

En Casamance :

– **Kasumay!** – Bonjour !
– **Bunuk a jajak mëëëmëk.** – Le vin de palme, c'est très bon. [Plus le
premier ë est long, plus on apprécie.]

CODE PHONÉTIQUE

Les mots en italique ou en gras dans ce livre sont transcrits en alphabet
sénégalais.
Le **c** correspond au **ti** français (tiède).
Le **j** correspond au **di** français (dieu).
Le **x** correspond à la jota espagnole (h aspiré).
Le **ñ** correspond au **ñ** espagnol (gn).
Le **ë** correspond au **e** français (le).
Le **u** correspond au **ou** français (fou).
Le **e** correspond au **é** ou **è** français.
Le **mb, nd, ng** ne doivent surtout pas se prononcer en isolant la pre-
mière consonne. **Mb** se prononce comme le français méridional « tu
m'**emb**êtes », **nd** comme en méridional « a**nd**ouille ».

QUELQUES RECETTES

La cuisine sénégalaise a su intégrer plusieurs influences : africaine,
française, arabe, portugaise. Sa conception même est fondée sur la
teranga (hospitalité) : on se regroupe autour de l'unique plat commun,
extensible au gré des parents ou amis de passage.
– **Cep bu jen** (mot à mot : « riz au poisson ») : plat national du Sénégal.
Poisson frais farci, poisson sec, dorés à l'huile et à l'oignon, mijotant
avec la sauce tomate, le manioc, le chou, les carottes... le riz cassé dans
la sauce libérée du poisson et des légumes.
– **Yaasa** (d'origine casamançaise) : on le prépare au poulet (c'est le
plus courant) au mouton, au poisson ou... au singe. La base choisie doit
macérer une nuit entière dans du jus de citron, du piment et de l'oignon,

avant d'être grillée au feu de bois, puis mijotée avec la marinade. Pour l'accompagner, du riz blanc (riz diola si possible).

– **Basi-saleté** : surtout en vogue dans le nord du Sénégal, chez les « Canadiens » (Saint-Louisiens). Drôle de nom pour ce couscous de mil très sophistiqué : viande de mouton, patates douces, carottes, haricots, choux voisinent avec des raisins secs et même des dattes. La feuille de baobab séchée et pliée renforce la sauce.

– **Mulet farci à la saint-louisienne** : chef-d'œuvre des cuisinières sénégalaises et plat exceptionnel. Le poisson est débarrassé de l'arête centrale par une savante chirurgie, puis la peau décollée de la chair. Cette chair est pilée avec différents aromates et replacée dans la peau recousue. Le maquillage est parfait. Le poisson est servi avec des légumes et la sauce de la cuisson.

– **Mafé** : au poulet ou à la viande de mouton, sorte de ragoût où mijotent viande, légumes et pâte d'arachide.

– **Ñama ñama** et autres petits plats complétant certains repas : caldou, boulettes de poisson, accras (beignets) aux haricots pilés, pastels de poisson, **nopu peul** (oreille de Peul), nougats aux arachides, huîtres grillées, coquillages...

Quelques fruits dont on fait des jus ou des confitures : corrosol, goyaves, tamarins, noix de coco, ananas, fruit du rônier (un peu le goût des litchis), citrons verts, bananes-cochons (petite banane casamançaise au goût de fraise)... On attend la saison des mangues avec impatience : mai, juin. La noix de kola sert de dopant et trompe la faim.

Les trois tasses de thé à la menthe font partie du rite de bienvenue. Chez les musulmans, elles remplacent le vin de palme. La première est amère puis, quand vient la troisième, beaucoup plus sucrée, on a eu le temps de faire connaissance. Les pastilles Valda remplacent souvent les feuilles de menthe fraîche.

Autres boissons sénégalaises : jus de bissap ou de gingembre (aphrodisiaque), kinkiliba (tisane), vin de palme, bière de mil, hydromel...

Fixé
sur verre.

QUELQUES PROVERBES

Sur l'entraide : **Nit nitey garab am,** l'homme est le remède de l'homme (wolof).

Sur la nécessité de savoir rester à sa place : **Guɗ gumu jowan ndeng,** les testicules de l'hyène ne sont pas un hamac pour le cabri (sérère ndut).

Sur les conflits familiaux : **Sis a perem da deku wana lëbëru,** les dents et la langue sont sœurs, mais il arrive qu'elles se rencontrent (sérère ndut).

Hymne national (paroles de L. S. Senghor), à chanter d'un ton martial sur l'air de « Viens poupoule » :

Pincez tous vos koras, frappez les balafons.
Le lion a rugi.
Le dompteur de la brousse
D'un bond s'est élancé.
Dissipant les ténèbres.
Soleil sur nos terreurs, soleil sur notre espoir.
Debout, frères, voici l'Afrique rassemblée
 fibres de mon cœur vert.
Épaule contre épaule, mes plus que frères,
  O Sénégalais, debout !
Unissons la mer et les sources, unissons la steppe et la forêt !
Salut Afrique mère, salut Afrique mère.

Rue de l'île de Gorée.

De bouche à oreille

QUELQUES BONNES ADRESSES DAKAROISES

Pour dîner :
- **Mbaye Barik,** brochettes et couscous, quartier Usine Niary Taly.
- **Le Chevalier de Boufflers,** bouillabaise et romantisme, Ile de Gorée.
- **La Croix du Sud,** classique et gastronomique, 20, rue A. Sarrault.
- **Le Saint-Louis,** patio fleuri et crabes farcis, 68, rue Félix-Faure.
- **Le Plaza,** pot-au-feu climatisé et spaghetti, avenue Georges-Pompidou.
- **Le Colisée,** excellent, désert et désuet, 166, avenue du Président-Lamine-Guèye.
- **Chez Raphaël,** la Provence à Dakar, 4, rue Parent.

Pour déjeuner :
- **Keur Ndeye,** enfin de la cuisine sénégalaise : riz au poisson, maffé, yassa, etc. Rue Vincens, anhle rue Sandiniery.

Autres adresses pour « manger sénéhalais »
- **Le Banecke,** 8, avenue Roume.
- **La Région,** rue Huart.
- **Chez Galaya,** rue 6, angle 15, Médina.

Bord de mer :
- **Le Lagon,** langoustes, windsurf et ski nautique, Petite Corniche.
- **Chez Juliette,** pour la patronne et ses huîtres grillées, en face de l'île des Madeleines.
- **Bar de la Chaloupe,** cuisine familiale, embarcadère de Gorée.

Dakar « by night » :
- **La Taverne du port,** marins en goguette et courtisanes, sous la Grande Poste.
- **Le Sahel,** le « Palace » dakarois, disco et reggae près du supermarché SAHM.
- Voyage au bout de la nuit à travers les petits bars clandestins du maquis. Un certain Sénégal transitionnel.

– **Club Méditerranée des Almadies,** architecture, animation style « Alcazar », plumes et paillettes.

LE SÉNÉGAL A PARIS

Déjà toute une initiation avant le grand départ :
– Centre d'information de l'ambassade du Sénégal, avenue Robert-Schuman, 75007 Paris ; tél. : 555-75-25.
– L'Arc, 37, boulevard Saint-Germain, 75005 Paris.
– Librairie « Présence africaine », 25 bis, rue des Écoles, 75005 Paris.
– Nouvelles Éditions africaines, 11, rue Méchin, 75014 Paris.
– Librairie « Ulysse », 35, rue Saint-Louis-en-l'Ile, 75004 Paris ; tél. 325-17-35.

Restaurants :
– Le Fouta Toro (chez Mme Kébé), rue du Nord, Clichy.
– Le Niomouré, 7, rue des Poissonniers, 75018 Paris.
– Le Tam-Tam, 18, rue Letellier, 75015 Paris.
– Le Kinkiliba, 5, rue des Déchargeurs, 75001 Paris.
– Le Katou, jumelé avec le célèbre Keur Samba, rue La Boétie, 75008 Paris.

UN VOYAGE SUR MESURE

Comment y aller? Une quinzaine de grandes compagnies aériennes ont des lignes régulières sur Dakar. Le prix Paris-Dakar plein tarif en classe touriste est d'environ 4 400 FF. Mais il existe de nombreux prix charters entre 2 000 et 3 000 FF. Agences Rivages, Jumbo, Nouvelles frontières...

Quand y aller? En décembre-janvier : du vent, du soleil, une mer encore chaude et une terre qui vient de boire. Certains préfèrent l'hivernage, ses tornades, ses éclairages et sa fébrilité. C'est le temps des fêtes et des travaux champêtres. Le Sénégal se réveille après neuf mois de ciel bleu.

Comment y circuler? – Air Sénégal dessert toutes les régions du Sénégal, mais les tarifs sont élevés.
Mieux vaut prendre les transports traditionnels : taxis-brousse (504 familiales), cars-rapides (omnibus, arrêts fréquents) ou pirogues. Sportif, mais on est tout de suite dans le bain.

Tarifs Dakar-Ziguinchor (450 km) :
    Avion : 1 heure, 12 500 francs CFA (250 FF).
    Taxi-brousse : 6 heures, 2 500 francs CFA (50 FF).
    Car-rapide : 12 heures, 1 800 francs CFA (36 FF).
    « Cap-Skirring » (petit cargo) : 20 heures, 1 200 francs CFA (24 FF) sur le pont.

Les taxis-brousse et les cars-rapides partent de Dakar dès 5 heures du matin au fur et à mesure du remplissage. Gare routière au début de l'autoroute. Venir avant 7 heures pour éviter de trouver une file d'attente au bac de Gambie.

Où habiter? Une semaine au Sénégal hors des sentiers battus :
– Éviter les hôtels classiques et autres pièges à touristes. Si vous ne voulez pas bronzer idiots, la formule des campements villageois, beaucoup moins chère, permet de découvrir l'autre côté de la plage et un bout de conversation. Renseignements : Secrétariat d'État au Tourisme, place de l'Indépendance, BP 4049 ; Agence WAO, 7, rue Sandiniéry.
– Ne pas aller à Gorée avec la marée touristique des heures chaudes. Prendre plutôt la chaloupe populaire de 18 h 30 pour y dîner puis rêver jusqu'à 23 heures (dernière chaloupe).

Une ordonnance...
– 1er jour : Dakar + dîner à Gorée + nuit à « l'Espadon » si possible.
– 2e jour : Départ pour la Casamance en taxi-brousse. Passer voir Adama Goudiaby au Centre d'artisanat de Ziguinchor. Renseignements sur l'accès aux campements villageois (600 CFA la nuit, 600 CFA le repas). Dîner et nuit à Énampore.
– 3e jour : Mlomp-cases à étages et colonnades. Pirogue à Élinkine pour Karabane (3 500 CFA). Pintade yassa chez Malang Badji. Dîner et nuit à Élinkine.
– 4e jour : pirogue pour Diembering. Dîner et nuit chez Albert Sambou ou les frères Diatta (concurrence effrénée). Vie du village et plages sans pédalos ni parasols.
– 5e jour : pirogue Diembering-Karabane (service régulier 600 CFA) et retour sur le pont du « Cap-Skirring » jusqu'à Dakar.
– 6e jour et dernière nuit à Niaga-Peulh, petit village biblique à 40 km de Dakar entre la mer, les dunes et les palmeraies du lac Retba.
Si vous avez plus d'une semaine, restez encore un peu en Casamance :
– A Affiniam, départ en pirogue (1 h et 200 CFA) de Ziguinchor tous les lundis, mercredis, vendredis, vers 9 heures.
– A Baïla, Thionck-Essyl, Koubalan. Accès en cars-rapides.
Mais aussi :
– Deux jours Saint-Louis et delta du fleuve Sénégal.
– Deux jours dans les îles du Saloum. Départ de Ndangane, Touba-kouta ou Missirah. Réserve d'oiseaux migrateurs.
– Trois jours au Sénégal oriental (parc du Niokolo-Koba et collines du pays bassari (très loin en voiture et très cher en avion).

Où et comment acheter? Se méfier des centres officiels d'artisanat, ce sont souvent des pièges à touristes où l'on fabrique en série de la pacotille d'aéroport (biches en bois rouge, masques grimaçants, piro-guiers d'ébène). Souvenirs pour marins en goguette. On peut trouver les mêmes boulevard Saint-Michel, à Paris, et parfois moins chers. Il faut aussi savoir acheter et ne pas avoir la palabre trop agressive. Le marchandage doit rester un jeu où l'on respecte le rite des refus indignés, des faux départs, des volte-face et des contre-propositions. Les prix descendront en cascade avec les rires. Réussir sa palabre, c'est déjà comprendre un peu le Sénégal.

Fixés (peintures sur verre) : animaux, mythologie populaire, motifs humoristiques : – Fixés récents : en face de la cour des Maures, Modou Fall et Gora Mbengue ; marché de Colobane. – Fixés anciens : « La Brocante », rue Jules-Ferry.

Émaillés (plateaux, bassines, théières, lampes à pétrole) : – derrière le marché de Sandaga et au marché Tilène.

Bijoux : Cours des Maures, 69, avenue Émile-Badiane : argent et ébènes, coffres anciens ; – marché de l'or de Sandaga ou Tilène : parures filigranées ; Mini-galerie, 32, rue Thiers.

Poterie traditionnelle (brûle-parfum, gargoulettes, canaris) : – derrière le marché Sandaga ; Centre d'artisanat de Ziguinchor ; Oussouye (Casamance), quartier de Djivent.

Les plantes médicinales locales (les garab) : vers le marché Tilène.

Vannerie (paniers, cages, lits) : marché Kermel ; Oussouye (région de Casamance) ; Sénégal oriental.

Sacs (en croco, iguane, lézard et boa) : village artisanal de Soumbédioune (objets fabriqués pour les touristes, sérieux marchandages).

Enseignes (ou portraits sur photo) : Babacar Lo, dessinateur peintre, Tally bou bess, prolongé parcelle 7, Arènes anciens combattants, Pikine. Alphadio Sall, rue 6, angle rue 1, Médina Dakar.

Masques et statuettes : chez les « antiquaires » de la rue Mohamed-V ; Mini-Galerie, 32, rue Thiers (Bracelets d'ivoire, pendentifs) ; Galerie Antenna, rue Félix-Faure.

Tissage : tisserands mandjak, route de Ouakam, ou Centre artisanal de Ziguinchor (tissage à deux compagnons, somptueux) ; tisserands toucouleurs : quartier Cerf-Volant ou Centre artisanal de Ziguinchor.

Tapisserie de Thiès : Manufacture sénégalaise de très grande qualité. Le point d'Aubusson avec des « cartons » d'artistes sénégalais comme Papa Ibra Fall, Ibou Diouf, Ousmane Faye, Bocar Diong ou Souley Keita.

Graines, cauris, épices, gris-gris : marché de Kaolack (exceptionnel), mais aussi Tilène ou Sandaga.

Valises et malles en boîtes de conserve martelées : près de la cour des Maures.

Pagnes, broderies, teintures : « La Signare de Gorée » (robes goréennes à volants) ; « Dakar pagnes », rue Sandiniéry ; « La Brocante », rue Jules-Ferry (robes saint-louisiennes) ; étals derrière le marché Sandaga, avenue E. Badiane (pagnes teints à la main, indigo ou cola) ; Centre d'artisanat des femmes de Rufisque ; Saint-Louis.

Mode sénégalaise : « Line Senghor », rue Hersant ; « Gaelle », rue des Essarts ; « Tara boutique », rue de Thiong.

Peintres de l'île de Gorée : Souleymane Keita, Aïcha Dione (batik), Amadou Sow, Jim Barry.

Fraises, mangues, langoustes, etc. : Pour en rapporter ou en expédier à vos amis, s'adresser à USIMA, place de l'Indépendance.

Où voir?

Des luttes sénégalaises :
– A la diola, sans frappe : Arènes Émile-Badiane ou Robert-Delmas quartier de Fass, tous les dimanches après-midi. Deux régions de Casamance (la Fogny et le Boulouf) se retrouvent à Dakar pour s'affronter pacifiquement aussi bien dans les gradins que sur le sable de l'arène.
– Lutte avec frappe : plus spectaculaire mais moins familiale. Sur programmation. Lire « le Soleil » pour l'annonce des grands combats avec les monstres sacrés Double Less ou le Tigre de Fass.

Ndëp (psychothérapie traditionnelle à base de danses de possession): presque chaque jeudi, au village de Yoff (cap Vert).

Nit (combat d'initiation des jeunes initiés bassaris contre les masques **lukuta**) : fin avril, département de Salémata, villages d'Ébarak, Éthiolo, Koté. Ce jour-là, les esprits de la forêt vêtus d'écorce brune, de jambières, de casques et de cimiers de feuilles de rôniers, armés de triques et de bâtons, viennent provoquer les gens du village. Les jeunes initiés doivent se masser à leur rencontre. Puis, c'est la descente de la colline et le combat des initiés contre les masques qui symbolisent le passage de l'enfance à l'âge adulte. Vers le mois de mars suivant, aura lieu la fête de réintégration **(olugu)** des jeunes initiés qui ont tenu tête aux **lukuta**. Pourvus d'un nouveau nom symbolisant leur nouvelle personnalité, parés d'un cimier de plumes et revêtus de pagnes blancs (symbole de pureté), ils entrent triomphalement dans le village en liesse : bière de mil **(ngoj)** tam-tams, danses, cris, rires et fiancées les accueillent.

La plupart des fêtes et des cérémonies bassaris se réfèrent à l'initiation (des hommes ou des femmes), aux sociétés secrètes, à la confrérie des chasseurs, aux rites agraires et aux rites funéraires. Les sacrifices mettent en rapport les hommes et les puissances surnaturelles, par l'intermédiaire de la bière de mil, du sang des coqs et des béliers ou d'autres libations versées.
Le chasseur porte souvent en marques rouges, sur le piquant de porc-épic passé à travers la cloison du nez, l'indication des bêtes de chasse nobles abattues. Le costume traditionnel consiste en un petit étui pénien de rônier tressé **(ipog)**, un triangle de peau d'antilope, des jambières en peau de chèvre, une coiffure de perles et de plumes, une ceinture et des bracelets d'aluminium et de cuivre. Les femmes portent un petit cache-sexe en étoffe brodée de perles multicolores, de nombreux bijoux et une ceinture formée de gros anneaux de bronze et de rangées de perles. De plus en plus, elles se ceignent les reins d'un petit pagne en satin noir. D'ailleurs, les Bassaris « s'habillent » et s'uniformisent, coincés entre les parcs nationaux, l'islam, les curés et la scolarisation.

Le magal de Touba : région de Diourbel. Fête du mouridisme qui attire chaque année, selon le calendrier musulman, près d'un million de pèlerins.

Les fanals (originaires de Saint-Louis) : sorte de carnaval qui a lieu du 24 décembre au 1er janvier de chaque année. Longtemps interrompu pour des raisons d'ordre public. Pour se rendre à la messe de minuit, les dames signares, ces riches métisses de Saint-Louis, se faisaient précéder pour éclairer leur chemin de serviteurs tenant à bout de bras des lanternes multicolores (analogie avec les fanaux des navires). Tandis que la messe se déroulait, les porteurs de lanterne attendant sur le parvis exhibaient leur fanal... L'émulation aidant, les petites lanternes « japonaises » jusqu'alors utilisées firent place à de véritables ouvrages charpentés, recouverts de papier peint aux couleurs vives, à l'intérieur desquels brûlaient des chandelles. A la sortie de la messe, au milieu des chants et des danses, le plus beau fanal était primé et la maison de la signare en était tout honorée. Au fil des temps, malgré l'électrification des villes, l'engouement que suscite la fête du fanal ne s'est jamais démenti, et les ouvrages présentés devenaient de véritables monuments : reproduction de la tour Eiffel, de mosquées, de palais, d'usines (par les ouvriers eux-mêmes !), de navires, d'avions, de locomotives, etc. Chaque fanal avait son parrain. A l'heure actuelle, c'est un véritable défilé coloré et majestueux, rythmé par les chants et les tam-tams qui accompagnent le fanal à travers la ville jusqu'à la place où se tient le jury.

En Casamance :
Homëbël : lutte des jeunes filles de la région d'Oussouye, en octobre, après l'hivernage.
Epit : fête célébrant la récolte du riz (novembre-décembre).
Bukut : mois de juin. A lieu tous les vingt ans dans chaque village. Se renseigner pour les dates et les villages. Cérémonie d'entrée dans le bois sacré des jeunes initiés.

Poterie
anthropomorphe
de Segni Camara
(Casamance).

DES CHIFFRES

Superficie : 197 000 km².

États limitrophes : Mauritanie au nord, Mali à l'est, îles du Cap-Vert à l'ouest et au large, Guinée et Guinée-Bissau au sud, Gambie au centre.

Plat pays : jamais plus de 100 m, sauf au Sénégal oriental. Monts Assirik : 311 m.

Population : plus de 5 millions d'habitants. Densité moyenne : 25 hab. au km². Extrêmes : 1 800 hab. au km² dans la presqu'île du Cap-Vert ; 5 hab. au km² au Sénégal oriental.
Migration : plus de 50 % des résidents de Dakar y sont arrivés après 1960.
Chômage : 44 % de la population active. Pour la plupart, des travailleurs agricoles en période d'inactivité pendant la saison sèche. Il s'agit souvent d'inactivité temporaire.
Salaires : 50 % des salariés de la fonction publique touchent moins de 50 000 francs CFA par mois, 6 % plus de 100 000.

Grandes villes
Dakar et banlieue 800 000 hab.
Kaolack 150 000 hab. Population flottante, l'un des points chauds du Sénégal.
Thiès 100 000 hab.
Saint-Louis 90 000 hab.
Rufisque 90 000 hab.
Ziguinchor 60 000 hab.
Tambacounda 50 000 hab.

Ethnies (estimations)

Wolof	1 400 000
Lébou	70 000
(wolophones)	
Sérère	700 000
Peul	500 000
Toucouleur	400 000
Diola	400 000
Malinké et Bambara	350 000
Soninké	70 000
Maures	55 000
Européens	40 000
Syro-Libanais	30 000

et quelques ethnies moins nombreuses, souvent frontalières : Baïnouk, Balante, Mandjack, Mancagne, Papel, Manodj, etc. en Casamance ; Bassari, Bedik, Coniagui, Dialloké au Sénégal oriental.

Religions
86 % de musulmans.
Confréries Tidiane, Mouride, Quadrya, Layène, Niassène.
5 % de chrétiens.

Animisme en régression mais toujours très vivace dans certains villages de Casamance et du Sénégal oriental.

Fiche de température
Dakar : max. 32 °C en septembre ; min. 17 °C en février. Ziguinchor : max. 37 °C en avril ; min. 20 °C en janvier.
Heures d'ensoleillement : 3 100 heures dans la région du Cap-Vert, soit en moyenne 8 h 30 par jour (Paris : 1 800 heures par an).
Pratiquement aucune pluie pendant la saison sèche (de la mi-novembre à la mi-juin). Si ce n'est la très rare et éphémère « pluie des mangues » (**hëg** en wolof). Plus de 90 % des pluies ont lieu entre le 1er juillet et le 30 octobre. Extrêmes : 200 mm par an le long du fleuve Sénégal et 1 600 mm en Casamance.
Température de la mer : elle oscille entre 30 °C en septembre et 18°5 en mars.

ÉCONOMIE

Le PIB passe entre 1959 et 1972 de 132 milliards de francs CFA à 225 milliards. Après la sécheresse catastrophique de 1973, il retombe à 185 milliards, puis est en hausse constante (245 milliards en 1974).

Arachide, huilerie
Environ 1 million de tonnes en bonne année de récolte. Reste la principale culture d'exportation du Sénégal. Désormais intégralement transformée sur place.

Effort de diversification des cultures depuis l'indépendance
– Coton (50 000 t).
– Riz paddy (150 000 t) : les importations couvrent encore près des trois quarts des besoins.
– Canne à sucre (25 000 t).
– Mil et sorgho (600 000 t) : cultures vivrières.
– Arachides de bouche (confiserie).
– Cultures maraîchères (80 000 t) : surtout production de contre-saison exportée vers l'Europe.
– Tomates : l'expérience vient de démarrer. Les Sénégalais consomment environ 5 000 t de concentré de tomate par an.

Élevage
2 700 000 bovins, 2 800 000 ovins et caprins.

Pêche
En plein essor : pêche piroguière. 300 000 t mises à terre pour une valeur de 17 milliards de francs CFA. Développement de la pêche industrielle.

Industrie
Limitée par l'exiguïté du marché et le faible pouvoir d'achat. Mais en expansion (6 % par an). Huileries, confiseries, brasseries, textiles, biscuiteries, cimenteries, chimie et plastique, meubles.

Ressources minières
– Phosphate de calcium à Taïba (155 000 t par an) et à Tobène (réserves estimées à plus de 100 millions de t).
– Phosphates d'alumine à Thiès.
– Fer : réserve de la Falèmé non encore exploitée, estimée à plus de 100 millions de t.
– marbre au Sénégal oriental.
– Attapulgite.
– Schistes bitumeux de Basse-Casamance.

Tourisme
– 200 000 visiteurs en 1979.
– Capacité d'hébergement : 6 000 lits.
– Nombre de nuitées : 1 million.
– Recette touristique en devises : plus de 10 milliards de francs CFA.

Budget   Exercice 1976-1977 : 150 milliards.
Financement du IVe plan quadriennal qui s'achevait en juillet 1977 :
État 113,5 milliards (32,2 %). Secteur privé : 60 milliards (16,9 %). Sources multilatérales : 78,5 milliards (22,2 %). Sources bilatérales : 102 milliards (28,8 %).

QUELQUES POINTS DE REPÈRE

Avant Jésus-Christ
Plus de 10 000 ans : le Sénégal est peuplé par des hommes (Pithécanthropes ? Néanderthaliens ? Sapiens ?) dont on n'a pas retrouvé les ossements mais l'outillage en pierre.
De 10 000 à 0 : apparition des premiers agriculteurs dont les outils, les poteries et plus rarement les squelettes ont été mis au jour principalement dans les régions du Cap-Vert, du Fleuve et du Sénégal oriental.

Après Jésus-Christ
De 1 à 1000 : plusieurs civilisations s'épanouissent, parmi lesquelles on note surtout celle des mangeurs de coquillages sur le littoral (où l'on retrouve, dans les îles du Saloum, des amas de 10 m de hauteur), celle des constructeurs de mégalithes et de tumulus funéraires dans les régions centrales (un millier de cercles mégalithiques du type cromlech et plus de 6 000 tumulus ont été recensés) et celle des métallurgistes – qui sont aussi d'adroits potiers – dans la vallée du Fleuve.

XIe siècle
L'épopée almoravide conduit les moines guerriers partis de Mauritanie jusqu'en Espagne. Début de l'islamisation du Sénégal avec la création du royaume du Tekrour, à cheval sur le Fleuve.

XIIe siècle
Le Tekrour et la plupart des petits royaumes du nord de la Sénégambie sont sous la tutelle de l'empire du Mali fondé par Soundiata Keita. Niadiane Ndiaye fonde le royaume du Dyolof.

XVe siècle

La plupart des royaumes sénégambiens sont pratiquement autonomes par rapport au roi du Dyolof, tout en lui reconnaissant un droit d'arbitrage.

Premiers contacts avec les Européens et période coloniale

Ce n'est qu'au XVe siècle que la puissante marine portugaise, sous les ordres de Henri le Navigateur, utilisant la route du large pour le retour contre les vents contraires, lance ses expéditions vers le « mystérieux » continent noir.

1444-1445	Denis Dias « découvre » le cap Vert. Premières explorations de Ca Da Mosto, qui rend visite au damel du Kayor.
1588-1677	Les comptoirs fortifiés hollandais s'installent sur la côte et préparent la colonisation, un siècle plus tard.
1659	Fondation, sur l'initiative de Richelieu, du fort de Saint-Louis du Sénégal, ainsi nommé en l'honneur de Louis XIII.
1677-1815	Période de rivalité franco-anglaise. L'île de Gorée sera prise et reprise une dizaine de fois au gré des canonnades.
1815-1816	Traités de Paris et de Vienne qui donnent le monopole du commerce à la France et marquent l'interdiction de la traite des Noirs.
1854	Sous l'impulsion de Faidherbe commence la conquête de l'intérieur du Sénégal et l'expansion des Français vers l'est avec la constitution d'un corps de tirailleurs sénégalais.
1857	Débarquement et installation des Français à Dakar.
1864	Mort d'El Hadj Omar, assiégé dans les falaises de Bandiagara.
1885	Malgré la résistance de Lat Dyor tué en 1876 à Dekhlé, le Kayor est annexé. Construction de la ligne du chemin de fer Dakar-Saint-Louis.
1871-1880	Début de la politique d'Assimilation appliquée aux 4 communes (Saint-Louis, Gorée, Rufisque, Dakar) avec citoyenneté française et élection d'un député à l'Assemblée nationale française.
1914-1918	La contribution des troupes noires à l'effort de guerre de la France dépasse 200 000 hommes.
1930	Exposition coloniale à Paris. L. S. Senghor et Aimé Césaire se lient d'amitié en hypokhâgne, au lycée Louis-le-Grand. Définition du concept de négritude.
1933	L. S. Senghor, premier agrégé africain.
1934	Fondation de la revue « l'Étudiant noir » avec Césaire et Damas.
1957	Loi-cadre qui permet la constitution de gouvernements autonomes en créant des exécutifs locaux. Début du morcellement de l'AOF en États indépendants. Senghor

	parle de « balkanisation » et aurait souhaité la création d'exécutifs fédéraux.
1958	De Gaulle est accueilli à Dakar par des cris réclamant l'indépendance.
28 sept. 1958	Référendum par lequel tous les territoires de l'ex-AOF (sauf la Guinée) acceptent le statut d'États membres d'une communauté où ils restent solidaires de la France pour la politique étrangère, la défense, les finances, l'économie, l'enseignement supérieur et les télécommunications. Dès le 25 novembre, le Sénégal devient une République.
20 juin 1960	L'indépendance de la Fédération du Mali, qui regroupe alors le Sénégal et le Mali, est reconnue par la France.
20 août 1960	« Deux caïmans mâles ne peuvent vivre ensemble dans le même marigot. » Éclatement de la Fédération du Mali.
17 déc. 1962	Deuxième grave crise politique à la suite d'un remaniement ministériel décidé par le président du Conseil Mamadou Dia, qui est emprisonné. Libéré en 1975, deux ans avant l'amnistie générale qui fera du Sénégal un des rares pays d'Afrique sans prisonniers politiques, il fonde un journal d'opposition, « Andë Sopi » (S'unir pour changer).
Avril 1966	Premier festival des Arts nègres à Dakar. « Pour la première fois dans l'histoire, un chef d'État prend dans ses mains périssables le destin d'un continent et proclame l'avènement de l'esprit » (A. Malraux).
1978	Élections législatives et présidentielles démocratiques : trois partis en présence, dont deux d'opposition.

DES LIVRES

Histoire, économie, sociologie

Adams A., **Le Long Voyage des gens du Fleuve,** Paris, Maspero, 1977.

Adams J.-C., **Le Baobab,** Notes africaines, IFAN, 1962.

Adotevi S., **Négritudes et Négrologues,** Paris, Julliard, 1972, coll. 10/18.

Amin S., **Le Monde des affaires sénégalais,** Paris, Éd. de Minuit, 1969.

Balandier G., **Afrique ambiguë,** Paris, Julliard, 1962, coll. 10/18.

Biarnes M., **La Cuisine sénégalaise,** Paris, Société africaine d'édition, 1972.

Camara C., **Saint-Louis du Sénégal,** Études sénégalaises, n° 9, IFAN.

Chatenet J., **Petits Blancs, vous serez tous mangés,** Paris, Éd. du Seuil. 1970.

Cornevin H., **Histoire de l'Afrique contemporaine,** Paris, Payot, 1978,

Decraene Ph., **Lettres de l'Afrique atlantique,** Dakar, NEA, 1975.

Delcourt (père), **l'Ile de Gorée,** Clairafrique, 1977.

Descamps Cyr, **Le Sénégal de l'âge de pierre à l'âge des métaux** Paris, Audecam, 1976.

Diagne Pathé, **Pouvoir traditionnel en Afrique occidentale**, P.A., 1967.

Diop Cheikh Anta, **Nations nègres et cultures**, (P.A., 1954; **L'Unité culturelle de l'Afrique noire**, P.A., 1959; **Antériorité des civilisations nègres**, P.A., 1967; **Identité culturelle et société postindustrielle**, P.A., 1980.

Dumont R., **L'Afrique noire est mal partie**, Paris, Éd. du Seuil, 1962; **Paysannerie aux abois**, Paris, Éd. du Seuil, 1972.

Dumont F., **L'Anti-sultan ou El Hadj Omar**, Dakar, NEA, 1974; **La Pensée religieuse d'Amadou Bamba**, Dakar, NEA, 1975.

Girard T. M., **Genèse du pouvoir charismatique en Basse-Casamance**, IFAN, 1969.

Guillebaud J.-C., « De la brousse aux bidonvilles », **le Monde**, mai 1973.

Hennebelle G., **Les Cinémas africains en 1972**, Paris, Société africaine d'édition, 1972.

Ki-Zerbo J., **Histoire de l'Afrique noire d'hier à demain**, Paris, Hatier, 1972.

Lestrange M. de, **Les Koniaguis et les Bassaris**, Paris, PUF (épuisé).

Lunel F., **Le Sénégal**, Lausanne, Rencontre, 1966.

Milcent E., **Au carrefour des options africaines : le Sénégal** (épuisé).

Monteil V., **L'Islam noir**, Paris, Éd. du Seuil, 1964, 1971, 1979; **Esquisses sénégalaises**, IFAN, 1966.

Negroni, **Les Colonies de vacances**, Paris, Éd. Libres-Hallier, 1976.

Pelissier P., **Paysans du Sénégal**, Fabrègu, 1966.

Rémy M., **Le Sénégal d'aujourd'hui**, Paris, Jeune Afrique, 1974.

Renaudeau M., **Visages du Sénégal**, Boulogne, Delroisse, 1973; **Musée de Dakar**, témoin de l'art nègre, Boulogne, Delroisse, 1974; **Gorée**, Paris, Société africaine d'édition, 1978.

Renaudeau R. et Fouet F., **L'Engagement**, Dakar, NEA, 1976 : manuel de littérature africaine des classes de 1re.

Roche C., **Conquête et Résistance des peuples de Casamance**, Dakar, NEA, 1976.

Saglio Ch., **Guide de Dakar et du Sénégal**, Paris, Société africaine d'édition, 1973, 1975, 1979.

Senghor L. S., **Petit Livre vert : Paroles**, Dakar, NEA, 1975; **Liberté I : négritude et humanisme**; **Liberté II : nation et voies africaines du socialisme**; **Liberté III : négritude et civilisation de l'universel**, Paris, Éd. du Seuil, 1964, 1971 et 1977.

Seck Assane, **Dakar, métropole africaine**, Dakar, 1970.

Société africaine d'édition, **Le Sénégal en chiffres**, 1978.

Sy Ch. Tidiane, **La Confrérie sénégalaise des mourides** – Un essai sur l'islam au Sénégal, P.A., 1968.

Thomas L. V., **Les Diolas**, IFAN, 1965, 2 vol.

Van Chi Régine, **Atlas national du Sénégal**, Paris, IGN, 1977. **Vie de relation au Sénégal**, IFAN, 1978.

Viera P., **Sembène Ousmane, cinéaste**, P. A.,1972; **Le Cinéma africain**, P.A. 1975.

Wade A., **Économie de l'Afrique de l'Ouest**, P.A., 1964.

Littérature et poésie

Poèmes de L. S. Senghor, aux Éd. du Seuil : **Chants d'ombre**, 1945; **Hosties noires**, 1948; **Éthiopiques**, 1956; **Nocturnes**, 1961; **Lettres**

d'hivernage (avec illustrations originales de Marc Chagall), 1973 ;
Élégies majeures, 1979.

- Camara Laye, **L'Enfant noir**, Paris, Plon, 1953 ; **Dramous**, Paris, Press
Pocket, 1966 ; **Le Maître de la parole**, Paris, Plon, 1978.

Diallo Nassifatiou, **De Tilène au Plateau – Une enfance dakaroise**,
Dakar, NEA, 1975.

- Diop Birago, **Contes d'Amadou Koumba et Sarzan**, P.A., 1961. **Nouveaux Contes d'Amadou Koumba**, P.A., 1958 ; **L'Os de Morlam**,
Dakar, NEA, 1977 ; **La Plume raboutée**, Dakar, NEA, 1976.

Diop Ousmane Socé, **Karim ; Contes et Légendes d'Afrique noire ;
Mirages de Paris**, NEL, 1948, 1962 et 1964.

Fall-Sow Aminata, **Le Revenant ; La Grève des Battû**, Dakar, NEA, 1976
et 1979.

Ka Abdoul Anta, **Théâtre**, P.A. 1972 ; **Mal** (nouvelles), Dakar, NEA, 1976 .

- Kane Cheikh Hamidou, **L'Aventure ambiguë**, Paris, Julliard, coll. 10/18

Ndao Cehikh, **L'Exil d'al-Boury**, Dakar, 1966 ; **Bar Tileen, roi de la
Médina**, Dakar, NEA, 1976.

- Sadji Abdoulaye, **Nini, mulâtresse du Sénégal**, P.A. (en réimpr.) ;
Maïmouna, P.A., 1958 ; **Tounka** (nouvelle), P.A. 1965 ; **La Belle Histoire de Leuk le lièvre**, Dakar, NEA, 1976.

Samb Amar, **Matraqué par le destin ou Mémoires d'un « talibé »**,
Dakar, NEA, 1973.

- Sembène Ousmane, **Le Docker noir**, P.A., 1956 ; **O pays, mon beau
peuple**, Paris, Press Pocket, 1957 ; **Les Bouts de bois de Dieu**, Paris,
Press Pocket, 1960 ; **Voltaïque**, P. A.,1962 ; **L'Harmattan**, P.A., 1963 ;
Véhiciosane, suivi de « Le Mandat », P.A., 1966 ; **Xala**, P.A., 1974.

Sy Boubacar, **Pas si fou**, Dakar, NEA, 1978.

Traore Seydou, **Vingt-cinq ans d'escalier ou la vie d'un planton**, Dakar,
NEA, 1975.

Revues périodiques

Demb ak tey (Hier et Aujourd'hui) : publié par le Centre d'études et
de civilisations de Dakar, avec des enquêtes sur les Saltigués (féticheurs sérères), les traditions orales, les jeux, les mythes...

Famille et développement : très populaire et accessible à tous. Traite
des problèmes de base : l'exode rural, la polygamie, le développement intégré, la nutrition ou la contraception.

Bandes dessinées

Les Aventures de Leuk le lièvre, Dakar, NEA, 1975.

Maxureja Gey, chauffeur de taxi, Dakar, NEA, 1976.

Spirou et le Gri-Gri de Niokolo-Koba, Éd. Dupuis.

Bigolo (trimestriel) : chronique en images de la vie sénégalaise.

Dëm (mensuel) : bande dessinée pour adultes. Avec les caricaturistes
du « Politicien ». Le titre à lui seul (« dëm : sorcier mangeur d'âmes)
est une provocation.

INDEX

ILLUSTRATIONS

Les Éditions du Seuil tiennent à remercier très particulièrement M. Léopold Sédar Senghor pour son précieux concours.

Abbas/Gamma 4, 8 a, 25, 37 a, 43. – Ambassade du Sénégal 66 a. – BN 33, 47 ab, 53 bcd, 58. – BN/J.-L. Charmet 53 ae. – BN/coll. L. S. Senghor 64. – J.-L. Castelli 20, 29, 36, 108 b, 178. – J.-L. Charmet/Arts déco. 49. – J.-L. Charmet/Seuil 116. – H. de Châtillon 17 ab, 21, 71, 108 a, 113, 129, 143 a, 144 b, 177. – H. de Châtillon/Rapho 103, 112 c. – Coll. part./Seuil 69, 173. – B. et C. Desjeux 8 b, 13, 16, 23, 72, 90, 94 ab, 95 ab, 109, 119, 124 a, 125, 132, 140, 143 b, 144 a, 148, 149, 157, 162 ab, 174. – D. R. 112 b. – F.-R. Faes 55, 80 ab, 81 b, 86, 88, 102 ab, 184. – Gerster/Rapho 19, 81 a. – Hoa Qui 77 a. – Naud/AAA 124 b. – Nogues/Sygma 112 a. – Jeannelle/Paris-Match 30. – Renaudeau 77 b. – Roger-Viollet 62, 63. – G.-P. Salvy-Guide 2-3, 150. - L.S. Senghor 66 b. – R. Schlumberger 37 b. – L. de Selva 2ᵉ de couv., 44, 136, 163. – Transunivers Films 123.
Carte : Michelle Dehoky.
Photogravure : Haudressy.

P. 173 : Une empreinte de sable originale, composée par André Masson pour la couverture du livre d'art « Chants d'ombre », illustration des poèmes de L. S. Senghor (Genève, Éd. Regard, 1976).

Ce livre, le soixante-deuxième de la collection « Petite Planète » dirigée par Simonne Lacouture, a été réalisé par Agnès Mathieu.

ACHEVÉ D'IMPRIMER EN 1980 PAR L'IMPRIMERIE TARDY QUERCY S.A. A BOURGES
D. L. 3ᵉ trim. 1980 - Nᵒ 5613 (9756)